岩 波 文 庫

31-019-3

運　　　命

国木田独歩作

岩 波 書 店

目　次

運命

運命論者

一

秋の中過、冬近くなると何れの海浜を問ず、大方は淋れて来る、鎌倉もその通りで、自分のように年中住んで居る者の外は、浜へ出て見ても、里の子、浦の子、地曳網の男、あるいは浜づたいに往通う行商を見るばかり、都人士らしい者の姿を見るは稀なのである。

ある日自分は何時のように滑川(1)の辺まで散歩して、さて砂山に登ると、思の外、北風が身に沁ので直ぐ麓に下てそこら日あたりの可い所、身体を伸して楽に書の読めそうな所と四辺を見廻わしたが、思うようなところがないので、彼方此方と探し歩いた、すると一個所、面白い場所を発見けた。

砂山が急に崩げて草の根でわずかにこれを支え、その下が崖のようになって居る、その根方に座って両足を投げ出すと、背は後の砂山に靠れ、右の臂は傍らの小高いところに懸り、恰度ソハ(2)に倚ったようで、真に心持の佳い場処である。

自分は持て来た小説を懐から出して心長閑に読んで居ると、日は暖かに照り空は高く晴れここよりは海も見えず、人声も聞えず、汀に転がる波音の穏かに重々しく聞える外は四囲寂然として居るので、何時しか心を全然書籍に取られて了った。

しかるにふと物音の為たようであるから何心なく頭を上げると、自分から四、五間(3)離れた処に人が立て居たのである。何時ここへ来て、どこから現われたのか少も気がつかなかったので、あたかも地の底から湧出たかのように思われ、自分は驚いて能く見ると年輩は三十ばかり、面長の鼻の高い男、背はすらりとした痩形、衣装といい品といい、一見して別荘に来て居る人か、それとも旅宿を取って滞留して居る紳士と知れた。

彼はそこにつッ立って自分の方を凝と視て居るその眼つきを見て自分は更に驚きかつ怪しんだ。敵を見る怒の眼か、それにしては力薄し。人を疑う猜忌の眼か、それにしては光鈍し。ただ何心なく他を眺る眼にしてははなはだ凄味を帯ぶ。

妙な奴だと自分も見返して居ること暫し、彼はたちまち眼を砂の上に転じて、一歩一歩、静かに歩きだした。されどもこの窪地の外に出ようとは仕ないで、ただそこらをブラブラ歩いて居る、そして時々凄い眼で自分の方を見る、一たいの様子が尋常でないので、自分は心持が悪くなり、場所を変る積でそこを起ち、砂山の上まで来て、後を顧ると、如何(どう)だろう怪(あやし)の男は早くも自分の座って居た場処に身体を投げて居た！　そして自分を見送って居る筈(はず)が、そうでなく立(たて)た膝の上に腕組をして突伏(つっぷ)して顔を腕の間に埋(うず)めて居た。

　余りの不思議さに自分は様子を見てやる気になって、兎(と)ある木蔭に枯草を敷(しい)て這いつくばい、書(ほん)を見ながら、折々頭を挙げて彼(か)の男を覗(うかが)って居た。

　彼はやや暫(しばら)く顔を上(あげ)なかった。けれども十分(じっぷん)とは自分を待(また)さなかった、彼の起(たち)あがるや病人の如く、何となく力なげであったが、起(た)ったと思うとその儘(まま)くるりと後向になって、砂山の崖に面(めん)と向き、右の手でその麓を掘りはじめた。

　取り出した物は大きな罎(びん)、彼は袂(たもと)からハンケチを出して罎の砂を払い、更に小(ちいさ)な洋盃(コップ)様(よう)のものを出して、罎の栓を抜(ぬく)や、一盃一盃、三、四杯続けさまに飲んだが、罎を静かに下に置き、手に杯(さかずき)を持(もっ)たまま、昂然と頭(こうべ)をあげて大空を眺めて居た。

　そしてまた一杯飲んだ。そして端(はし)なく眼(まなこ)を自分の方へ転じたと思うと、洋杯(コップ)を手にしたまま自分の方へ大股で歩いて来る、その歩武(ほぶ)(4)の気力ある様(さま)は以前の様子と全然(まるで)違うて居た。

　自分は驚いて逃げ出そうかと思った。しかし直ぐ思い返してそのまま横になって居ると、彼は間もなく自分の傍(そば)まで来て、怪(あやし)げな笑味(えみ)を浮べながら

「貴様は僕が今何を為たか見て居たでしょう？」

と言った声は少し嗄れて居た。

「見て居ました。」と自分は判然答えた。

「貴様は他人の秘密を覗ごうて可いと思いますか。」と彼は益怪げな笑味を深くする。

「可いとは思いません。」

「それなら何故僕の秘密を覗いました。」

「僕はここで書籍を読むの自由を持て居ます。」

「それは別問題です。」と彼は一寸眼を自分の書籍の上に注いだ。

「別問題ではありません。貴様が何にを為ようと僕が何を為ようと、それが他人に害を及ぼさぬ限りはお互の自由です。もし貴様に秘密があるなら自から先ず秘密に為たら可いでしょう。」


彼は急にそわそわして左の手で頭の毛を捘るように掻きながら、

「そうです、そうです。けれどもあれが僕の倣し得るかぎりの秘密なんです。」と言って暫らく言葉を途切し、気を塞めて居たが、

「僕が貴様を責めたのは悪う御座いました、けれども何乎今御覧になったことを秘密に仕て下さいませんかお願いですが。」

「お頼とあれば秘密にします。別に僕の関したことではありませんから。」

「難有う御座います。それで僕も安心しました。イヤ真に失礼しました匆卒貴様を詰めまして……」と彼は人を圧つけようとする最初の気勢とは打て変り、如何にも力なげに詫たのを見て、自分も気の毒になり、

「何もそう謝るには及びません、僕も実は貴様が先刻僕の前に佇立って僕ばかり見て居た時の風が何となく怪かったから、それでここへ来て貴様の為ることを覗ごうて居たのです。矢張貴様を覗がったのです。けれどもあの事が貴様の秘密とあれば、堅く僕はその秘密を守りますから御安心なさい。」

彼は黙って自分の顔を見て居たが、

「貴様は必定守って下さる方です。」と声をふるわし、

「如何でしょう、一つ僕の杯を受けて下さいませんか。」

「酒ですか、酒なら僕は飲ないほうが可いのです。」

「飲まないほうが！　飲まないほうが！　無論そうです。もう飲まないで済むことなら僕とても飲まないほうが可いのです。けれども僕は飲のです。それが僕の秘密なんです。如何でしょう、僕と貴様とこうやって話をするのも何かの運命です、怪い運命ですから、不思議な縁ですから一つ僕の秘密の杯を受けて下さいませんか、え、如何でしょ

う、受けて下さいませんか。」という言葉の節々、その声音、その眼元、その顔色は実に大なる秘密、痛しい秘密を包んで居るように思われた。

「よろしゅう御座います、それでは一つ戴きましょう。」と自分の答うるや直ぐ彼は先に立て元の場処へと引返すので、自分もその後に従った。

二

「これは上等のブランデーです。自分で上等も無いもんですが、先日上京した時、銀座の亀屋(5)へ行って最上のを呉れろと内証で三本買て来てここへ匿して置いたのです、一本は最早たいらげて空罎は滑川に投げ込みました。これが二本目です、まだ一本この砂の中に埋めてあります、無くなればまた買って来ます。」

自分は彼の差した杯を受け、少ずつ啜りながら彼の言う処を聞て居たが、聞くに連れて自分は彼を怪しむ念の益々高るを禁じ得なかった。けれども決して彼の秘密に立入うとは思なかった。

「それで先刻僕がここへ来て見ると、意外にも貴様が既にこの場処を占領して居たのです、驚きましたね、怪しからん人もあるものだ僕の酒庫を犯し、僕の酒宴の筵を奪いながら平気で書籍(ほん)を読んで居るなんてと、僕はそれで貴様(あなた)を見つめながらここを去らなかったのです。」と彼は微笑して言った、その眼元には心の底に潜んで居る彼の優(やさし)い、正直な人柄の光さえ髣髴(ほのめ)いて、自分には更にそれが惨(いたま)しげに見えた、そこで自分も笑(わらい)を含み、

「そうでしょう、それでなければあんな眼つきで僕を御覧になる訳は御座いません。さも恨めしそうでした。」

「イヤ恨めしくは御座いません、情けなかったのです。オヤオヤ乃公(おれ)は隠して置いた酒さえも何時(いつ)か他人(ひと)の尻の下に敷(しか)れて了うのか、と自分の運命を咀(のろ)ったのです。咀うと言えば凄く聞えますが、実は僕にはそんな凄い了見もまた気力もありません。運命が僕を咀うて居るのです――貴様(あなた)は運命ということを信じますか？　え、運命ということ。如何(どう)です、も一(ひと)つ。」と彼は罎を上げたので

「イヤ僕は最早(もう)戴(いただき)ますまい。」と杯(さかずき)を彼に返し、「僕は運命論者ではありません。」

彼は手酌(てじゃく)で飲み、酒気を吐(は)いて、

「それでは偶然論者ですか。」

「原因結果の理法を信ずるばかりです。」

「けれどもその原因は人間の力より発し、そしてその結果が人間の頭上に落ち来(きた)るば

かりでなく、人間の力以上に原因したる結果を人間が受ける場合が沢山ある。その時、貴様は運命という人間の力以上の者を感じませんか。」

「感じます、けれどもそれは自然の力です。そして自然界は原因結果の理法以外には働かないものと僕は信じて居ますから、運命という如き神秘らしい名目をその力に加えることは出来ません。」

「そうですか、そうですか、解りました。それでは貴様は宇宙に神秘なしと言うお考なのです、要之、貴様にはこの宇宙に寄するこの人生の意義が、極く平易明亮なので、貴様の頭は二々が四で、一切が間に合うのです。貴様の宇宙は立体でなく平面です。無窮無限という事実も貴様には何等、感興と畏懼と沈思とを喚び起す当面の大いなる事実ではなく、数の連続を以てインフィニテー[6]（無限）を式で示そうとする数学者のお仲間でしょう。」と言って苦しそうな嘆息を洩し、冷かな、嘲るような語気で、

「けれども、実はその方が幸福なのです。僕の言葉で言えば貴様は運命に祝福されて居る方、貴様の言葉で言えば僕は不幸な結果を身に受けて居る男です。」

「それではこれで失礼します。」と自分は起上がった。すると彼は狼狽て自分を引止め、

「ま、ま、貴様怒ったのですか。もし僕の言った事がお気に触ったら御勘弁を願います。ついその自分で勝手に苦んで勝手に色々なことを、馬鹿な訳にも立たん事を考えて

居るもんですから、つい見境もなく饒舌のです。否、誰にもそんなことを言った事はないのです。けれども何んだか貴様には言って見とう感じましたから遠慮もなく勝手な熱を吹いたので、貴様には笑われるかも知れませんが。僕にはやはり怪しの運命が僕と貴様を引着たように感ぜられるのです。不幸せな男と思って、もすこしお話し下さいませんか、もすこし……。」

「けれども別にお話しするようなことも僕には有りませんが……」

「そう言わないで何卒もすこしここに居て下さいな、もすこし……。噫！　如何してこう僕は無理ばかり言うのでしょう！　酔たのでしょうか。運命です、運命です、可う御座います、貴様にお話がないなら僕が話します。僕が話すから聞いて下さい、せめて聴て下さい。僕の不幸な運命を！」

この苦痛の叫を聞いて何人か心を動かさざらん。自分はその儘止って、

「聞きましょうとも。僕が聴いてお差支えがなければ何事でも承たまわりましょう。」

「聴いて下さいますか。それならお話しましょう。けれども僕は運命の怪しき力に惑うて居る者ですから、その積で聴いて下さい。もし原因結果の理法と貴様が言うならそれでも可う御座います。ただその原因結果の発展が余りに人意の外に出て居て、その為に一人の若い男が無限の苦悩に沈んで居る事実を貴様が知りましたなら、それを僕が怪

しき運命の力と思うのも無理の無いことだけは承知下さるだろうと思います、で貴様に聞きますがここに一人の男があって、その男が何心なく途を歩いて居ると、どこからとも知れず一の石が飛んで来てその男の頭に命中り、即死する、そのためにその男の妻子は餓に沈み、その為めに母と子は争い、その為に親子は血を流す程の惨劇を演ずるという事実が、この世に有り得ることと貴様は信ずるでしょうか。」

「実際有ることか無いことかは知りませんが、有り得ることとは信じます、それは。」

「そうでしょう、それなら貴様は人の意表に出た原因のために、ふとした原因のために、非常なる悲惨がややもすれば、人の頭上に落ちてくるという事実を認たむるのです、僕の身の上の如き、全くそれなので、ほとんど信ず可からざる怪しい運命が僕を弄そんで居るのです。僕は運命と言います。僕にはそう外には信じられんですから。」と言って彼は吻と嘆息を吐き、

「けれども貴様聴いて呉れますか。」

「聴きますとも！　何卒かお話なさい。」

「それなら先ず手近な酒のことから話しましょう。貴様は定めし不思議なことと思って居るでしょうが、実は世間に有りふれたことで、苦悩を忘れたさの魔酔剤に用いて居るのです。砂の中に隠して置くのは隠くして飲まなければならない宅の事情があるから

なので、その上、この場所は如何(いか)にも静(しずか)でかつ快闊で、如何(いか)な毒々しい運命の魔も身を隠して人を覗(うか)がう暗い蔭のないのが僕の気に入ったからです。ここへ身を横たえて酒精(アルコール)の力に身を托し高い大空を仰いで居る間は、僕の心が幾何(いくら)か自由を得る時です。その中(うち)にはこの激烈な酒精(アルコール)が左(さ)なきだに(7)弱(よわ)り果(はて)た僕の心臓を次第に破って、遂には首尾よく僕も自滅するだろうと思って居ます。」

「そんなら貴様(あなた)は、自殺を願うて居るのですか。」と自分は驚いて問うた。

「自殺じゃアない、自滅です。運命は僕の自殺すら許さないのです。貴様(あなた)、運命の鬼が最も巧(たくみ)に使う道具の一(ひとつ)は「惑(まどい)」ですよ。「惑」は悲(かなしみ)を苦(くるしみ)に変(かえ)ます。苦悩(くるしみ)を更に自乗させます。自殺は決心です。始終惑(まどい)のために苦しんで居る者に、如何(どう)してこの決心が起りましょう。だから「惑」という鈍い、重々しい苦悩(くるしみ)から脱(のが)れるには矢張、自滅という遅鈍な方法しか策がないのです。」

と沁々(しみじみ)言う彼の顔には明(あきらか)に絶望の影が動いて居た。

「如何(どう)いう理由(わけ)があるのか知りませんが、僕は他人の自殺を知ってこれを傍観する訳には行きません。自滅というも自殺に違いないのですから。」と自分が言うや、

「けれども自殺は人々の自由でしょう。」と彼は笑味(えみ)を含んで言った。

「そうかも知れません。しかしこれを止(と)め得(う)るならば、止めるのがまた人々の自由な

り義務です。」

「可う御座います。僕も決して自滅したくは有りませんもし貴様が僕の物話を悉皆聴て、その上で僕を救うの策を立てて下さるのなら僕はこの上もない幸福です。」

こう聞いては自分も黙って居られない、

「可しい！　何卒か悉皆聴かして貰いましょう。今度は僕の方からお願します。」

三

「僕は高橋信造という姓名ですが、高橋の姓は養家のを冒したので、僕の元の姓は大塚というです。

大塚信造と言った時のことから話しますが、父は大塚剛蔵と言って御存知でも御座いますか、東京控訴院の判事(8)としては一寸世間でも名の知れた男で、剛蔵の名の示す如く、剛直一端の人物。随分僕を教育する上には苦心したようでした。けれども如何いうものか僕は小児の時分から学問が嫌いで、ただ物陰に一人引込んで、何を考えるともなく茫然して居ることが何より好でした。十二歳の時分と覚えて居ます、頃は春の末ということは庭の桜がほとんど散り尽して、色褪せた花弁のまだ梢に残って居たのが、若葉の隙からホロホロと一片三片落つる様を今も判然と想いだすことが出来るので知れます。僕は土蔵の石段に腰かけて例の如く茫然と庭の面を眺めて居ますと、夕日が斜に庭の木の間に射し込で、さなきだに静かな庭が、一増蕭然して、凝然として、眺めて居ると少年心にも哀いような楽いような、所謂る春愁でしょう、そんな心地になりました。

人の心の不思議を知って居るものは、童児の胸にも春の静な夕を感ずることの、実際有り得ることを否まぬだろうと思います。

兎も角も僕はそういう少年でした。父の剛蔵はこのことを大変苦にして、僕のことを坊頭臭い子だと数々小言を言い、僧侶なら寺へ与て了うなど怒鳴ったこともあります。それに引かえ僕の弟の秀輔は腕白小僧で、僕より二ツ年齢が下でしたが骨格も父に肖て逞ましく、気象もまるで僕とは変って居たのです。

父が僕を叱る時、母と弟とは何時も笑って傍で見て居たものです。母というはお豊といい、言葉の少ない、柔和らしく見えて確固した気象の女でしたが、僕を叱ったこともなく、さりとて甘やかす程に可愛がりもせず、言わば寄らず触らずにして居たようです。それで僕の気象が性来今言ったようなのであるか、あるいはそうでなく、僕は小児の時、早く不自然な境に置れて、我知らずの孤独な生活を送った故かも知れないのです。

成程父は僕のことを苦にしました。けれどもその心配はただ普通の親がその子の上を憂るのとは異って居たのです、それで父が「折角男に生れたのなら男らしくなれ、女のような男は育て甲斐がない」と愚痴めいた小言を言う、その言葉の中にも僕の怪しい運命の穂先が見えて居たのですが、少年の僕にはまだ気が着きませんでした。

言うことを忘れて居ましたが、その頃は父が岡山地方裁判所長の役で、大塚の一家は岡山の市中に住んで居たので、一家が東京に移ったのはまだ余程後のことです。

ある日のことでした、僕が平時のように庭へ出て松の根に腰をかけ茫然して居ると、何時の間にか父が傍に来て

「お前は何を考えて居るのだ。持て生れた気象なら致方もないが、乃父はお前のような気象は大嫌だ、最少し確固しろ。」と真面目の顔で言いますから、僕は顔も上げ得ないで黙って居ました。すると父は僕の傍に腰を下して、

「オイ信造」と言って急に声を潜め「お前は誰かに何か聞は為なかったか。」

僕には何のことか全然解らないから、驚いて父の顔を仰ぎましたが、不思議にも我知らず涙含みました。それを見て父の顔色は俄に変り、益々声を潜めて、

「匿すには及ばんぞ、聞たら聞いたと言うが可え。そんなら乃父には考案があるから。サア匿くさずに言うが可え。何か聞いたろう?」

この時の父の様子は余程狼狽して居るようでした。それで声さえ平時と変り、僕は

可怖くなりましたから、しくしく泣き出すと、父は益々狼狽え、

「サア言え！　聞いたら聞たと言え！　慝すかお前は」と僕の顔を睨みつけましたから、僕も益々可怕なり

「御免なさい、御免なさい。」とただ謝罪りました。

「謝罪れと言うんじゃない。もし何かお前が妙なことを聞て、それで茫然考がえて居るじゃないかと思うから、それで訊くのだ。何にも聞かんのならそれで可え。サア正直に言え！」と今度は真実に怒って言いますから、僕は何のことか解らず、ただ非常な悪いことでも仕たのかと、おろおろ声で、

「御免なさい、御免なさい。」

「馬鹿！　大馬鹿者！　誰が謝罪れと言った。十二にもなって男の癖に直ぐ泣く。」

怒鳴られたので僕は喫驚して泣きながら父の顔を見て居ると、父も暫くは黙って熟と僕の顔を見て居ましたが、急に涙含んで、

「泣んでも可え、最早乃父も問わんから、サア奥へ帰るが可え、」と優しく言ったその言葉は少ないが、慈愛に満て居たのです。

その後でした、父が僕のことを余り言わなくなったのは。けれどもまたその後でした僕の心の底に一片の雲影の沈んだのは。運命の怪しき鬼がその爪を僕の心に打込んだの

は実にこの時です。

僕は父の言葉が気になって堪りませんでした。これも普通の小供なら間もなく忘れて了っただろうと思いますが、僕は忘れる処か、間がな隙がな、何故父はあのような事を問うたのか、父がかくまでに狼狽した処を見ると、余程の大事であろうと、少年心に色々と考えて、そしてその大事は僕の身の上に関することだと信ずるようになりました。何故でしょう。僕は今でも不思議に思って居るのです。何故父の問うたことが僕の身の上のことと自分で信ずるに至ったでしょう。

暗黒に住みなれたものは、能く暗黒に物を見ると同じ事で、不自然なる境に置れたる少年は何時しかその暗き不自然の底に蔭んで居る黒点を認めることが出来たのだろうと思います。

けれども僕のその黒点の真相を捉え得たのはずっと後のことです。僕は気にかかりながらも、これを父に問い返すことは出来ず、また母には猶更ら出来ず、小な心を痛めながらも月日を送って居ました。そして十五の歳に中学校の寄宿舎に入れられましたが、その前に一ツお話して置く事があるのです。

大塚の隣屋敷に広い桑畑があってその横に板葺の小な家がある、それに老人夫婦とそのころ十六、七になる娘が住で居ました。以前は立派な士族で、桑園は則ちその屋敷跡だそうです。この老人が僕の仲善でしたが、ある日僕に囲碁の遊戯を教えて呉れました。二、三日経て夜食の時、このことを父母に話しました処、何時も遊戯のことは余り気にしない父が眼に角を立て叱り、母すら驚いた眼を張って僕の顔を見つめました。そして父母が顔を見合わした時の様子の尋常でなかったので、僕ははなはだ妙に感じました。

何故僕が囲碁を敵としなければならぬか、それも後に解りましたが、それが解った時こそ、僕が全く運命の鬼に圧倒せられ、僕が今の苦悩を嘗め尽す初で御座いました。

四

僕の十六の時、父は東京に転任したので大塚一家は父と共に移転しましたが、僕だけは岡山中学校[9]の寄宿舎に残されました。

僕はその後三年間の生活を想うと、僕のこの世における真の生活はただあの学校時代だけであったのを知ります。

学生は皆な僕に親切でした。僕は心の自由を恢復し、悪運の手より脱れ、身の上の疑惑を懐くこと次第に薄くなり、沈鬱の気象までが何時しか雪の融ける如く消えて、快闊な青年の気を帯びて来ました。

しかるに十八の秋、突然東京の父から手紙が来て僕に上京を命じたのです。穏な僕の心は急に擾乱され、僕はほとんど父の真意を知るに苦しみ、返書を出して責めて今一年、卒業の日までこの儘に仕て置いて貰おうかと思いましたが、思い返して直ぐ上京しました。[10]麴町の宅に着くや、父は一室に僕を喚んで、「早速だがお前と能く相談したいことが有るのだ。お前これから法律を学ぶ気はないかね。」

思いもかけぬ言葉です。僕は驚いて父の顔を見つめたきり容易に口を開くことが出来ない。

「実は手紙で詳しく言ってやろうかとも思ったが、廻りくどいから喚んだのだ。お前も卒業までと思ったろうし、また大学までとも志して居たろうけれど、人は一日も早く独立の生活を営む方が可えことはお前も知って居るだろう。それでお前これから直ぐ私立の法律学校に入るのじゃ。三年で卒業する。弁護士の試験を受ける。そした暁は私と懇意な弁護士の事務所に世話してやるから、そこで四、五年実地の勉強をするのじゃ。その内に独立して事務所を開けば、それこそ立派なもの、お前も三十にならん内、堂々たる紳士となることが出来る。如何じゃな、その方が近道じゃぞ。」という父の言葉を聴いて居る、僕の心の全く顚動したのも無理はないでしょう。

これ実に他人の言葉です。他人の親切です。居候の書生に主人の先生が示す恩愛です。

大塚剛蔵は何時しかその自然に返って居たのです。知らず知らずその自然を暴露すに至ったのです。僕を外に置くこと三年、その実子なる秀輔のみを傍に愛撫すること三年、人間がその天真に帰るべき門、墳墓に近くこと三年、この三年の月日は彼をして自然に返らしたのです。けれども彼はまだその自然を自認することが出来ず、どこまでも自分を以前の父の如く、僕を以前の子の如く、見ようとして居るのです。

そこで僕は最早進んで僕の希望を述るどころではありません。ただこれ命これ従がうだけのことを手短かに答えて父の部屋を出てしまいました。

父ばかりでなく母の様子も一変して居たのです。日の経つに従ごうて僕は僕の身の上に一大秘密のあることを益々信ずるようになり、父母の挙動に気をつければつけるほど疑惑の増すばかりなのです。

一度は僕も自分の僻見だろうかと思いましたが、合憎と想起すは十二の時、庭で父から問いつめられた事で、あれを想い、これを思えば、最早自分の身の秘密を疑がうことは出来ないのです。

懊悩の中に神田の法律学校(11)に通って三月も経ましたろうか。僕は今日こそ父に向い、断然此方から言い出して秘密の有無を訊そうと決心し、学校から日の暮方に帰って夜食を済ますや、父の居間にゆきました。父はランプの下で手紙を認めて居ましたが、僕を見て、「何ぞ用か」と問い、やはり筆を執て居ます。僕は父の脇の火鉢の傍に座って、暫く黙って居ましたが、この時降りかけて居た空が愈々時雨て来たと見え、廂を打つ霰の音がパラパラ聞えました。父は筆を擱いて徐ら此方に向き、

「何ぞ用でもあるか、」と優しく問いました。

「少し訊ねたいことが有りますので、」とわずかに口を切るや、父は早くも様子を見て取ったか
「何じゃ。」と厳かに膝を進めました。

「父様、私は真実に父様の児なのでしょうか。」と兼て思い定めて置いた通り、単刀直入に問いました。

「何じゃと」と父の一言、その眼光の鋭さ！　けれども直ぐ父は顔を柔げて、

「何故お前はそんなことを私に聞くのじゃ、何か私共がお前に親らしくないことでもして、それでそういうのか。」

「そういう訳では御座いませんが、私には昔から如何いう者かこの疑があるので、始終胸を痛めて居るので御座ます、知らして益のない秘密だから父上も黙ってお居でになるのでしょうけれど、私は是非それが知りたいので御座います。」と僕は静に、決然と言い放ちました。

父は暫時く腕組をして考えて居ましたが、徐ろに顔を上げて、

「お前が疑がって居ることも私は知って居たのじゃ。私の方から言うた方がと思ったこともこの頃ある。それで最早お前から聞れて見るとなお言うて了うが可えから言うことに仕よう。」とそれから父は長々と物語りました。

けれども父の知らして呉れた事実はこれだけなのです。周防[12]山口の地方裁判所に父が奉職して居た時分、馬場金之助という碁客が居て、父と非常に懇親を結び、常に兄弟の如く往来して居たそうです。その馬場という人物は一種非凡な処があって、碁以外に父はその人物を尊敬して居たということです。その一子が即ち僕であったのです。

父はその頃三十八、母は三十四で最早子は出来ないものと諦めて居ると、馬場が病で没し、その妻も間もなく夫の後を襲てこの世を去り、残ったのは二歳になる男の子、これ幸と父が引取って自分の児とし養ったので、父からいうと半分は孤児を救う義俠でしたろう。

僕の生の父母はまだ年が若く、父は三十二、母は二十五であったそうです。けれども母の籍がまだ馬場の籍に入らん内に僕が生れ、その為でしょう、僕の出産届がまだ仕てなかったので、大塚の父は僕を引取るや直に自分の児として届けたのだそうです。

以上の事を話して大塚の父のいうには、

「その後私は間もなく山口を去ったから、お前を私の実子でないと知るものは多くないのじゃ。私達夫婦は、飽くまで実子の積でこれまで育てて来たのじゃ。この先も同じことだからお前も決して僻見根性を起さず、どこまでも私達を父母と思って老先を見届けて呉れ。秀輔は実子じゃがお前のことは決して知らさんから、お前も真実の兄となって生涯彼れの力ともなって呉れ。」と、老の眼に涙を見るより先に僕は最早泣いて居たのです。

そこで養父と僕とはこれらの秘密を飽くまで人に洩さぬ約束をし、また僕がこの先何かの用事で山口にゆくとも、ただ他所ながら父母の墓に詣で、決して公けにはせぬということを僕は養父に約しました。

その後の月日は以前よりもかえって穏かに過たのです。養父も秘密を明けてかえって安心した様子、僕も養父母の高恩を思うにつけて、心を傾けて敬愛するようになり、勉学をも励むようになりました。

そして一日[13]も早く独立の生活を営み得るようになり、自分は大塚の家から別れ、義弟の秀輔に家督を譲りたいものと深く心に決する処があったのです。

三年の月日はたちまち逝き、僕は首尾よく学校を卒業しましたが、なお養父の言葉に従い、一年間更に勉強して、さて弁護士の試験を受けました処、意外の上首尾、養父も大よろこびで早速その友なる井上博士の法律事務所に周旋して呉れました。

兎も角も一人前の弁護士となって日々京橋区[14]なる事務所に通うて居ましたが、もしあのままで今日になったら、養父もその目的通りに僕を始末し、僕も平穏な月日を送って益々前途の幸福を楽んで居たでしょう。

けれども、僕は如何しても悪運の児であったのです。ほとんど何人も想像することの出来ない陥穽が僕の前に出来て居て、悪運の鬼は惨酷にも僕を突き落しました。

五

井上博士は横浜にも一ケ所事務所を持て居ましたが、僕は二十五の春、この事務所に詰めることとなり、名は井上の部下であってもその実は僕が独立でやるのと同じことでした。年齢の割合には早い立身と云っても可いだろうと思います。

処が横浜に高橋という雑貨商があって、随分盛大にやって居ましたが、その主人は女で名は梅、所夫[15]は二、三年前に亡なって一人娘の里子というを相手に、先ず贅沢な暮を仕て居たのです。

訴訟用から僕はこの家に出入することとなり、僕と里子は恋仲になりました。手短に言いますが、半年経ぬうちに二人は離れることの出来ないほど、逆せ上げたのです。

そしてその結果は井上博士が媒酌となり、遂に僕は大塚の家を隠居し高橋の養子となりました。

僕の口から言うも変ですが、里子は美人というほどでなくとも随分人目を引く程の容色で、丸顔の愛嬌のある女です。そして遠慮なくいいますが全く僕を愛して呉れます、けれどもこの愛はかえって今では僕を苦しめる一大要素になって居るので、もし里子がかくまでに僕を愛し、僕がまたこうまで里子を愛しないならば、僕はこれほどまでに苦しみは仕ないのです。

養母の梅は今五十歳ですが、見た処、四十位にしか見えず、小柄の女で美人の相を供え、なかなか立派な婦人です。そして情の烈しい正直な人柄といえば、智慧の方はやや薄いということは直ぐ解るでしょう。快活で能く笑い能く語りますが、如何かすると恐しい程沈鬱な顔をして、半日何人とも口を交えないことがあります。僕は養子とならぬ以前からこの人柄に気をつけて居ましたが、里子と結婚して高橋の家に寝起することとなりて間もなく、妙なことを発見したのです。

それは夜の九時頃になると、養母はその居間に籠って了い、不動明王を(16)一心不乱に拝むことで、口に何ごとか念じつつ床の間にかけた火炎の像の前に礼拝して十時となり十一時となり、時には夜中過に及ぶのです。昼間の中、沈鬱いで居た晩は殊にこれが激しいようでした。

僕も初めは黙って居ましたが、余り妙なのである日このことを里子に訊ねると、里子は手を振って声を潜め、「黙って居らっしゃいよ。あれは二年前から初めたので、あのことを母に話すと母は大変気嫌を悪くしますから、成るべく知らん顔をして居たほうが可いんですよ。御覧なさい全然狂気でしょう。」と別に気にもかけぬ様なので、僕も強ては問いもしなかったのです。

けれどもその後一月もしてある日、僕は事務所から帰り、夜食を終て雑談して居ると、養母は突然、

「怨霊というものは何年経ても消えないものだろうか？」と問いました。すると里子は平気で、

「怨霊なんて有るもんじゃアないわ。」と一言で打消そうとすると、母は向になって、

「生意気を言いなさんな。お前見たことはあるまい。だからそんなことを言うのだ。」

「そんなら母上は見て？」

「見ましたとも。」

「オヤそう、如何な顔をして居て？　私も見たいものだ。」と里子はどこまでも冷かし

てかかった。すると母は凄いほど顔色を変えて、

「お前怨霊が見たいの、怨霊が見たいの。真実に生意気なことをいうよこの人は！」

と言い放ち、ツッと起て自分の部屋に引込んで了った。僕は思わず、

「母上如何か仕て居なさるよ。気を附けんと……」

　里子は不安心な顔をして、

「私真実に気味が悪いわ。母上は必定何にか妙なことを思って居るのですよ。」

「ちっと神経を痛めて居なさるようだね。」と僕も言いましたが、さて翌日になると別に変ったことはないのです。変って居るのはただ何時もの通り夜になると不動様を拝むことだけで、僕等もこれは最早見慣れて居るから強て気にもかかりませんでした。

　処が今歳の五月です、僕は何時よりか二時間も早く事務所を退て家へ帰りますと、その日は曇って居たので家の中は薄暗い中にも母の室は殊に暗いのです。母に少し用事があったので別に案内もせず襖を開けて中に入ると、母は火鉢の傍にぽつねんと座って居ましたが、僕の顔を見るや、

「ア、ア、アッ、アッ！」と叫んで突起たかと思うと、また尻餅を舂て熟と僕を見た時の顔色！　僕は母が気絶したのかと喫驚して傍に駈寄りました。

「如何しました。如何しました。」と叫けんだ僕の声を聞て母はわずかに座り直し、

「お前だったか、私は、私は……」と胸を撫すって居ましたが、その間も不思議そうに僕の顔を見て居たのです。僕は驚ろいて、

「母上如何なさいました。」と聞くと、

「お前が出抜に入って来たので、私は誰かと思った。おお喫驚した。」と直ぐ床を敷して休んで了いました。

　この事の有った後は母の神経に益々異常を起し、不動明王を拝むばかりでなく、僕などは名も知らぬ神符を幾枚となくどこからか貰って来て、自分の居間の所々に貼つけたものです。そして更に妙なのは、これまで自分だけで勝手に信じて居たのが、僕を見て驚いた後は、僕に向っても不動を信じろというので、僕が何故信じなければならぬかと聞くと、

「ただ黙って信じてお呉れ。それでないと私が心細い。」

「母上の気が安まるのなら信仰も仕ましょうが、それなら私よりもお里の方が可いでしょう。」

「お里では不可せん。彼には関係のないことだから。」

「それでは私には関係があるのですか。」

「まアそんなことを言わないで信仰してお呉れ、後生だから。」という母の言葉を里子

も傍で聞て居ましたが、呆れて、

「妙ねえ母上、不動様が如何して母上と信造さんとには関係があって私には無いのでしょう。」

「だから私が頼むのじゃアありませんか。理由が言われる位なら頼はしません。」

「だって無理だわ、信造さんに不動様を信仰しろなんて、今時の人にそんなことを勧たって……」

「そんなら頼みません！」と母は怒って了ったので、僕は言葉を柔げ、

「イヤ私だって不動様を信じないとは限りません。だから母上まアその理由を話て下さいな。如何なことか知りませんが、親子の間だから少も明されないようなことは無いでしょう。」と求めました。これは母の言う処に由て迷信を圧え神経を静める方法もあろうかと思ったからです。すると母は暫く考えて居ましたが、吐息をして声を潜め、

「これ限りの話だよ、誰にも知してはなりませんよ。私がまだ若い時分、お里の父上に縁かない前にある男に言い寄られて執着追い廻されたのだよ。けれども私は如何してもその男の心に従わなかったの。そうするとその男が病気になって死ぬ間際に大変私を怨んで色々なことを言ったそうです。それで私も可い心持は仕なかったが、ここへ縁づいてからは別に気にもせんで暮して居ました。ところが所夫が死くなってからというも

のは、その男の怨霊が如何かすると現われて、可怖い顔をして私を睨み、今にも私を取殺そうとするのです。それで私が不動様を一心に念ずるとその怨霊がだんだん消て無なります。それにね、」と、母は一増声を潜め「この頃はその怨霊が信造に取ついたらしいよ。」

「まア嫌な！」里子は眉を顰めました。

「だってね、如何かすると信造の顔が私には怨霊そっくりに見えるのよ。」

それで僕に不動様を信じろと勧めるのです。けれども僕にはそんな真似は出来ないから、里子と共に色々と怨霊などいうものの有るべきでないことを説いたけれど無益でした。母は堅く信じて疑がわないので、僕等も持余し、この鎌倉へでも来て居て精神を静めたらと、無理に勧めて遂にここの別荘に入たのは今年の五月のことです。」

六

高橋信造はここまで話して来てたちまち頭をあげ、西に傾く日影を愁然と見送って苦悩に堪えぬ様であったが、手早く杯をあげて一杯飲み干し、

「この先を詳しく話す勇気は僕にありません。事実を露骨に手短に話しますから、そ

れ以上は貴様(あなた)の推察を願うだけです。

高橋梅、則(すなわ)ち僕の養母は僕の真実の母、生(うみ)の母であったのです。妻(さい)の里子は父を異(ことに)した僕の妹であったのです。如何(どう)です、これが奇(あや)しい運命でなくて何としましょう。かくの如きをも源因結果の理法といえばそれまでです。けれども、かかる理法の下(もと)に知らず知らずこの身を置(おか)れた僕から言えば、この天地間にかかる惨刻(ざんこく)なる理法すら行なわるるを恨みます。

先(ま)ず如何(どう)してこれらの事実が僕に知れたか、その手続を簡単に言えば、母が鎌倉に来てから一月後(ひとつきのち)、僕は訴訟用で長崎にゆくこととなり、その途中山口、広島などへ立寄る心組で居ましたから、見舞かたがた鎌倉へ来て母にこの事を話しますと、母は眼の色を変(かえ)て、山口などへ寄るなと言います。けれども僕の心には生(うみ)の父母の墓に参(まい)る積(つもり)がありますから、母には可(よ)い加減に言って置いて、遂に山口に寄ったのです。

兼(かね)て大塚の父から聞いて居たから寺は直(す)ぐ分りました。けれども僕は馬場金之助の墓のみ見出して、死(しん)だと聞(きい)た母の墓を見ないので、不審に思って老僧に遇(あ)い、右の事を訊ねました。もっともただ所縁(ゆかり)のものとのみ、僕の身の上は打明けないのです。

すると老僧は馬場金之助の妻お信(のぶ)の墓のあるべき筈(はず)はない。あの女は金之助の病中に、碁の弟子で町の豪商某(なにがし)の弟と怪しい仲になり、金之助の病気はその為更に重くなったのを気の毒とも思わず、遂に飲乳児を置去りにして駈落して了ったのだと話しました。
老僧はなおも父が病中母を罵ったこと、死際に大塚剛蔵にその一子を托したことまで語りました。

そのお信が高橋梅であるということは、誰も知らないのです。僕も証拠は持て居ません。けれども老僧がお信のことを語る中に早くも僕は今の養母が即ちそれであることを確信したのです。

僕は山口で直ぐ死んで了おうかと思いました。あの時、実にあの時、僕が思い切て自殺して了ったら、むしろ僕は幸であったのです。

けれども僕は帰って来ました。一は何とかして確な証拠を得たいため、一は里子に引寄せられたのです。里子は兎も角も妹ですから、僕の結婚の不倫であることは言うまでもないが、僕は妹として里子を考えることは如何しても出来ないのです。

人の心ほど不思議なものはありません。不倫という言葉は愛という事実には勝てないのです。僕と里子の愛がかえって僕を苦しめると先程言ったのはこの事です。

僕は里子を擁して泣きました。幾度も泣きました。僕もまた母と同じく物狂しくなりました、憐れなるは里子です。総ての事が里子には怪しき謎で、彼はただ惑いに惑うばかり、遂には母と同じく怨霊を信ずるようになり、今も横浜の宅で母と共に不動明王に祈念を凝して居るのです。里子は怨霊の本体を知らず、ただ母も僕もこの怨霊に苦しめられて居るものと信じ、祈念の誠を以て母と所夫を救うとして居るのです。

僕は成るべく母を見ないようにして居ます。母も僕に遇うことを好みません。母の眼には成程僕が怨霊の顔と同じく見えるでしょうよ。僕は怨霊の児ですもの！

僕には母を母として愛さなければならん筈です、しかし僕は母が僕の父を瀕死の際に捨て、僕を瀕死の父の病床に捨てて、密夫[17]と走ったことを思うと、言うべからざる怨恨の情が起るのです。僕の耳には亡父の怒罵の声が聞こえるのです。僕の眼には疲れ果た身体を起して、何も知らない無心の子を擁き、男泣きに泣き給うた様が見えるのです。そしてこの声を聞きこの様を見る僕には実に怨霊の気が乗移るのです。

夕暮の空ほの暗い時に、柱に靠れて居た僕が突然、眼を張り呼吸を凝して天の一方を睨む様を見た者は母でなくとも逃げ出すでしょう。母ならば気絶するでしょう。けれども僕は里子のことを思うと、恨も怒も消て、ただ限りなき悲哀に沈み、この悲哀の底には愛と絶望が戦うて居るのです。

処がこの九月でした、僕は余りの苦悩に平常ほとんど酒杯を手にせぬ僕が、里子の止るのも聴ず飲めるだけ飲み、居間の中央に大の字になって居ると、何と思ったか、母が突然鎌倉から帰って来て里子だけをその居間に呼びつけました。そして僕は酔って居ながらも直ぐその理由の尋常でないことを悟ったのです。

一時間ばかり経つと里子は眼を泣き膨らして僕の居間に帰て来ましたから、

「如何したのだ。」と聞くと里子は僕の傍に突伏して泣きだしました。

「母上が僕を離婚すると云ったのだろう。」と僕は思わず怒鳴りました。すると里子は狼狽て、

「だからね、母が何と言っても所夫決して気にしないで下さいな。気狂だと思って投擲って置いて下さいな、ね、後生ですから。」と泣声を振わして言いますから、「そういうことなら投擲って置く訳に行かない。」と僕はいきなり母の居間に突入しました。里子は止める間もなかったので僕に続いて部屋に入ったのです。僕は母の前に座るや、

「貴女は私を離婚すると里子に言ったそうですが、その理由を聞きましょう。離婚するなら仕ても私は平気です。あるいはむしろ私の望む処で御座います。けれども理由を被仰い。是非その理由を聞きましょう。」と酔に任せて詰寄りました。すると母は僕の剣幕の余り鋭いので喫驚して僕の顔を見て居るばかり、一言も発しません。

「サア理由を聞きましょう。怨霊が私に乗移って居るから気味が悪いというのでしょう。それは気味が悪いでしょうよ。私は怨霊の児ですもの。」と言い放ちました、見る母の顔色は変り、物をも言わず部屋の外へ駈けて出て了いました。

僕はそのまま母の居間に寝て了ったのです。眼が覚めるや酒の酔も醒め、頭の上には里子が心配そうに僕の顔を見て坐て居ました。母は直ぐ鎌倉に引返したのでした。

その後僕と母とは会わないのです。僕は母に交って此方に来て、母は今、横浜の宅に居ますが、里子は両方を交る交る介抱して、二人の不幸をば一人で正直に解釈し、ただただ怨霊の業とのみ信じて、二人の胸の中の真の苦悩を全然知らないのです。

僕は酒を飲むことを里子からも医師からも禁じられて居ます。けれども如何でしょう。このような目に遇って居る僕がブランデイの隠飲みをやるのは、果て無理でしょうか。今や僕の力は全く悪運の鬼に挫がれて了いました。自殺の力もなく、自滅を待つほどの意気地のないものと成り果て居るのです。

如何でしょう、以上ザッと話しました僕の今日までの生涯の経過を考がえて見て、僕の心持になって貰いたいものです。これがただ源因結果の理法に過ないと数学の式に対するような冷かな心持で居られるものでしょうか。生の母は父の仇です、最愛の妻は兄妹です。これが冷かなる事実です。そして僕の運命です。

もしこの運命から僕を救い得る人があるなら、僕は謹しんで教を奉じます。その人は僕の救主です。」

七

自分は一言を交えないで以上の物語を聞いた。聞き終って暫くは一言も発し得なかった。成程悲惨なる境遇に陥った人であるとツクヅク気の毒に思ったのである。けれども止むなくんばと、

「断然離婚なさったら如何です。」

「それは新らしき事実を作るばかりです。既に在る事実はその為めに消えません。」

「けれどもそれは止を得ないでしょう。」

「だから運命です。離婚した処で生の母が父の仇である事実は消ません。離婚した処で妹を妻として愛する僕の愛は変りません。人の力を以て過去の事実を消すことの出来ない限り、人は到底運命の力より脱ることは出来ないでしょう。」

自分は握手して、黙礼して、この不幸なる青年紳士と別れた、日は既に落ちて余光華かに夕の雲を染め、顧れば我運命論者は淋しき砂山の頂に立って沖を遥に眺て居た。

その後自分はこの男に遇ないのである。

巡査

この頃ふとした事から自分は一人の巡査(1)、山田銑太郎というのに懇意になった。年齢は三十四、五でもあろうか、骨格の逞しい、背の高い堂々たる偉丈夫である。

自分は人相のことはよく知らぬが、円い顔の、口髭頬髯ともに真黒で、鼻も眼も大きな、見た処は柔和の相貌とは言えないがさて実際はなかなか好人物なのが世間には随分ある、この巡査もその種類に属するらしい。

もしその人が沈黙であったならこういうのは余り受の可い人相ではない。処が能く語り能く笑う、笑う時はその眼元に一種の愛嬌がこぼれる、語る時は相手の迷惑もなにも無頓着で、のべつに行る(2)。そこで思いもつかぬ比喩など用いて、それを得意で二度も三度も繰返す、如何だろう、こういう人物は他の憎悪を受けるだろうか。

ある日、明日は非番で宅に居ますから、是非入来しゃいと頻りに促がされたから、午後一時ごろ自分は山田巡査を訪ねて見た。

「ね、是非入来しゃい、何にもないが寒いから……これをやって饒舌りましょう。」とグイ飲の手真似をして見せた。

指物屋(3)の二階の一室が先生の住居である。仕事場の横から急な狭い梯子段を上ると、直ぐ当面に炭俵が置いてある、靴が蟇のように一隅に眠って居る、太い棒がその傍に突立って番をして居る、多分ステッキというのだろう。別の一室には書生でも居るか、微吟の声が洩れて居たがその前の薄暗い板間を通ると突当の部屋が山田巡査の宅。

「やッ、よく入来しゃいました。サア此方へ、サアー。」と言いながら急に起って押入から座蒲団を一枚、長火鉢の向へ投出した。

先生一杯やりはじめて、やや酔の廻って居る時分であった。

「独身者の生活はこんなものでしてナ。御覧の通りで狭いも狭いし、世帯道具一切がこの一室にあるのだから、まア何のことはない豚小屋ですな、豚小屋で……」とそこらをきょろきょろ、何か探して居るようであったが、急に前の杯をグイと呑干して

「まア一ツ! 御飯が済んだのなら酒だけ一ツ、この酒は決して頭へ来るような酒じゃア御座いませんから。」

自分は受けてちゃぶ台に置いた。成程狭いが、狭いなりに一室がきちんと整理いて居る。作出し(4)の押入が一間(5)、室内にはみ出してその唐紙は補修だらけ、壁はきたなく

落書がしてある、畳は煤けて居る、成程むさくるしい部屋であるが、これまたどことなく掃事が届いてサッパリして居る。どうして、豚小屋どころか！

窓の下に机、机の右に書籍箱、横に長火鉢、火鉢に並んでちゃぶ台、右手の壁に沿うて箪笥、鼠いらず、(6)その上に違棚、(7)総てが古いが、総てが清潔である、煙草箱、菓子器、茶入、蓋物、(8)帙入の書籍、総てがその処を得て、行儀よく並んで居る。書籍箱の上には盆栽の小鉢が三ツ四ツ置いてある。

自分は杯を返しながら

「流石警官だけに貴様は大変清潔ずきですね。」

「ハハハハハ、イヤ清潔ずきていう程のこともないが、これが私の性分でしてナ、どうも悪い性分でしてナ、他人のすることは気に入らんていうんだから困って了います、殊に食器ですナア、茶椀でもなんでも他人に為て貰うと如何も心持が悪い、それで悉皆自分でやりますがね……。」

「じゃアいよいよ独身者誂向という性分ですね、ハハハハハ」

「全くそうです、だから国に女房もありますが決して呼びません、一人で不自由を感じないんですから。」

「夫人がお有りンなるんですか、そうですか、それじゃア何にも独身者の詫住居を好んでするにゃア当らないでしょう、そしてお児さんは？」

「小児もあります、五歳になる男の児が一人あります、がです、矢張一人のほうが気楽ですナア。」と手酌で飲みながら、「もっとも私の妻を呼ばないのは他にも理由がありますがね。」

「どんな理由がありますか知りませんが、兎も角妻子があれば一家団欒の楽を享けないのは嘘でしょう？　貴様さびしく思いませんか。」

「イヤ全く孤独く感じないこともないですがナ、ナニ私も時々帰るし妻もちょいちょいやって来ますよ、汽車で日往復が出来ますからナニ便利な世の中ですよ、御心配には及びません夜具も二人前備えてあります、ハッハッハッハッハッハッ」

「ハハハハ先ずそう諦めて居れば仔細はありませんナ。」

「サア何か食って下さい、ろくなものは御座いませんがね、どうです豆か、蜜柑でも。」

ちゃぶ台には煮豆、数子、蜜柑、酢章魚という風なものが雑然と並べてある。柱にかけた花挿には印ばかりの松ケ枝、冬の日脚は傾いて西の窓をまともに射し、主人の顔は赤く眼はとろりとして矢張正月は正月らしい。

主人は専売特許の厨炉(9)にかけた鉄瓶から徳利を出しながら
「全く一人のほうが気楽ですよ。サア熱いところを一ツ、それに私は敢えて好んで妻を持ったわけじゃアないんですからナ。ふとした処から養子に貰われたので、もしそれで無かったら今でも独身でサア、第一巡査をして妻子を養って楽をしようなんテ、ちっと出来にくい芸ですナ、蛇の綱渡よりか困難いことです、エ、貴様は蛇の綱渡を見たことありますか、私は一ツ見ました。姓名は言われませんが、私どもの仲間に妻と小供の三人と母親とを養って、それで小ザッパリと暮して居るものがある、感心なものでしょう、もっとも酒は呑ません、煙草もやりません。こんな男は例外です。私どもには到底出来ない芸です。」

「しかし田舎に細君を置いた処で費ものは費るから同じ事でしょう、文句を言わないで一所におなんなさい、細君が可愛そうだ。」

「ハハハハハッ貴様は大に細君孝行だ、イヤ私だってね、まんざら女房を可愛がらないわけはないんだが、田舎には多少の資産があるんです、それにまだ父母も居ますからかえって妻は先方に居たほうが相方の便利なんです、まア私なんざア全く道楽でこんな職をやって居るんでサア、イヤになれば直ぐ止めて田舎へ引込んだって食うに困るようなことはないいんですからナア。」

「気楽ですねエ。」

「全く気楽です！　だから酒は石崎[10]からこうやって樽で取ってグイグイ飲むのですが、

沢之鶴[11]も可いが私どもにゃア少し甘味が勝って居るようでかえってキ印[12]の方が口に合います、どうも料理屋の混成酒[13]だけは閉口しますナア。」

と先生頻りに酒の品評をはじめ、混成酒の攻撃をやって居たが酔は益々発して来たらしい

「どうです、一ツ隠芸をお出しなさい、エ、僕ですか、僕は全く無芸、ただ飲めば眠る、直ぐ寝て了います！」

成程さも眠むそうな、とろんこな眼をして居る、

「僕でも貴様方のようにナア、文章が書けるなら随分書いて見たい事があるんだが、だめだ！」

と暫く眼を閉じて黙って居たが、急ににっこり笑って、

「ウンそうだ！　一ツ見て貰うものがある。」

と机の抽出から草稿らしいものを五、六枚出して、その一枚を自分の前へ突出した。

見ると漢文で

「題警察法」という一編である。

「夫れ警察の法たる事無きを以て至れりと為す」

と一種の口調で体軀をゆりながら漢文を朗読しだした。

「事を治むる之に次ぐ、エ、どうです。」

「賛成賛成。」

「功無きを以て尽すと為す、功を立つる之に次ぐ、故に、どうです、故に日夜奔走して而して事を治め、千辛万苦して而して功を立つる者は上の上なる者に非ざる也。」

「だから臥て居るテンですか。」

「ハハハハハッまア先を聞いて下さい。最上の法は事を治むるに非ず、功を立つるに非ず、常に無形に見、無形に聴き、以て其機先を制す、故に事有るなくして而して自ら治り、功為す無くして而して自ら成る、是れ所謂る為し易きに為し而して治め易きに治むる者也、どうです名論でしょう！　是の故に善く警察の道を尽す者は功名無く、治跡(14)無く、神機妙道(15)只だ其人に存す焉、愚者解す可からざる也、夫子(16)曰く人飲食せざる莫き也、能く味を知る鮮き也！　文章は拙いが主意はどうです。」

「文章も面白ろい、主意は大賛成です！」

「神機妙道只だ其人に存す、愚者解すべからざるなりか、ハハハハハッ」と頗る得意である。

「先ず酒でも飲んで十分精神を養ってその機先を制すと行くのです、エ、どうです熱い処を。」

「もう僕は沢山！　何か外に面白いものはありませんか、詩のような者は。」

「詩ですか、あります、有りますもすさまじいが幼学便覧出来[17]というのが、二、三ダースあります。」

と罫紙に清書したのを四、五枚出して見せたが、

「イヤ読まれちゃア困ります、一ツ二ツ僕が吟じます、さてと、どれもまずいなア、春夜偶成かナ、朦朧烟月の下、一酔花に対して眠る、風冷やかに夢驚き覚れば、飛紅[18]枕辺を埋むはどうです、エ、これは下田歌子[19]さんの歌に何とかいうのが有りましたねエ、そら何と言いましたなア、今ちょっと忘れましたが、それを翻訳したのですがまるで比較になりませんなア、あの婆さん、と言っちゃア失礼だが全く歌はうまいもんですなア」と左右に身躯を揺動ながら、今一度春夜偶成を繰返した、「それからここに一ツちょっと異なのが有ります、権門[20]所見と題して、権門昏夜哀を乞ふ頻りなり、朝に見る揚々として意気新なるを、妻妾は知らず人の罵倒するを、醜郎満面髯塵を帯ぶはどうです、エ。」

「痛快ですなア。」

「これはある大臣の警衛をして居た時の作です、醜郎の満面、髯塵を帯ぶ——かね。」

「も一ツ。」

「そうですなア」と草稿を繰返して居たが、突如として「故山の好景久しく相違ふ、斗米官遊未だ非を悟らず、杜宇呼び醒す名利の夢、声々、復た不如帰を喚ぶ——。ハッハッハッハッハッハッ到々本音を吐いちゃッた！」

「ハッハッハッハッハッハッハッ到々本音が出ましたね。」

「ハッハッハッハッハッハッ」と笑ったが山田巡査は眼を閉じたまま何を考えるともなく、うつらうつらとして居る様子であった、半分居眠って居るのである。突然、

「イヤ矢張この方が気楽だ！」と叫けんで、眼を見開き自分を見て莞爾笑ったが、直ぐまた居眠を始めた。

自分は暫時く凝然として居たが起すのも気の毒とそっと起って室を出た。

指物屋の店から四、五十間下ると四辻がある、自分はここに来た時、後を振り向くと指物屋の二階の窓から山田巡査の髭髯だらけの顔が出て居た。頻りと点頭をして居た。

自分は全然この巡査が気に入って了った。

酒中日記

五月三日（明治三十〇年）

「あの男は如何なったか知ら」との噂、よく有ることで、四、五人集って以前の話が出ると、消えて去くなった者の身の上に、ツイ話が移るものである。

　この大河今蔵、恐らく今時分やはり同じように噂せられて居るかも知れない。「時に大河は如何したろう。」升屋の老人口をきる。「最早死んだかも知れない。」と誰かが気の無い返事を為る。「全くあの男ほど気の毒な人はないよ。」と老人は例の哀れっぽい声。

　気の毒がって下さる段は難有い。しかし幸か不幸か、大河という男今以て生て居る、しかも頗る達者、この先何十年この世に呼吸の音を続けますことやら。憚りながらまだ三十二で御座る。

　まさかこの小ぽけな島、馬島(1)という島、人口百二十三の一人となって、二十人あるなしの小供を対手に、やはり例の教員、しかし今度は私塾なり、アイウエオを教えて居るという事は御存知あるまい。無いのが当然で、かく申す自分すら、自分の身が流れ流れて思いもかけぬこの島でこんな暮を為るとは夢にも思わなかったこと。

噂をすれば影とやらで、ひょっくり自分が現われたなら、升屋の老人喫驚りして開いた口がふさがらぬかも知れない。「いったい君は如何したというんだ」と漸とのことで声を出す。それから話して一時間も経つとまた喫驚、今度は腹の中で。「いったいこの男は如何したのだろう、五年見ない間に全然気象まで変って了った。」

驚き給うな源因がある。第一、日記という者書いたことのない自分がこうやって、こまめに筆を走らして、如何でもよい自分のような男の身の上に有ったことや、有ることを、今日からポツポツ書いて見ようという気になったのからして、自分は五年前の大河では御座らぬ。

ああ今は気楽である。この島や島人はすっかり自分の気に入って了った。瀬戸内にこんな島があって、自分のような男を、兎も角も呑気に過さして呉れるかと思うと、正にこれ夢物語の一章一節、と言いたくなる。

酒を呑んで書くと、少々手がふるえて困る、しかし酒を呑まないで書くと心がふるえるかも知れない。「ああ気の弱い男！」どこに自分が変って居る、やはりこれが自分の本音だろう。

可愛い可愛いお露が遊びに来たから、今日はこれで筆を投げる。

五月四日

自分が升屋の老人から百円受取って机の抽斗に納ったのは忘れもせぬ十月二十五日。事の初がこの日で、その後自分はこの日に逢うごとに頸を縮めて眼をつぶる。なるべくこの日の事を思い出さないようにして居たが、今では平気なもの。

一件がありありと眼の先に浮んで来る。

あの頃の自分は真面目なもので、酒は飲めても飲まぬように、謹厳正直、いやはや四角張た男であった。

老人連、全然惚れ込んでしまった。一にも大河、二にも大河。公立八雲小学校[2]の事は大河でなければ竹箒一本買うことも決定るわけにゆかぬ次第。校長になってから二年目に升屋の老人、遂に女房の世話まで焼いて、お政を自分の妻にした。子が出来た。お政も子供も病身、健康なは自分ばかり。それでも一家無事に平和に、これぞという面白いこともない代り、またこれぞという心配もなく日を送って居た。

処が日清戦争[3]、連戦連勝、軍隊万歳、軍人でなければ夜も日も明けぬお目出度いこととなって、そして自分の母と妹とが堕落した。

母と妹とは自分達夫婦と同棲するのが窮屈で、赤坂区新町(4)に下宿屋を開業。それも表向ではなく、例の素人下宿(5)。いやに気位を高くして、家が広いから、それにどうせ遊んで居る身体、若いものを世話してやるだけのこと、もっとも性の知れぬお方は御免被るとの触込み。

自体拙者は気に入らないので、頻りと止めて見たが、もともと強情我慢な母親、妹は我儘者、母に甘やかされて育てられ、三絃まで仕込まれて自堕落者に首尾よく成りおおせた女。お前たちの厄介にさえならなければ可かろうとの挨拶で、頭から自分の注意は取あげない。

これぞという間違もなく半年経ち、日清戦争となって、兵隊が下宿する。初は一人の下士(6)。これが導火線、類を以て集り、終には酒、歌、軍歌、日本帝国万々歳！ そして母と妹との堕落。

「国家の干城(7)たる軍人」が悪いのか、母と妹とが悪いのか、今更いうべき問題でもないが、ただ一の動かすべからざる事実あり曰く、娘を持ちし親々は、それが華族(8)でも、富豪でも、官吏でも、商人でも、皆な悉く軍人を婿に持ちたいという熱望を以て居たのである。

娘は娘で軍人を情夫に持つことは、むしろ誇るべきことである、とまで思って居たらしい。

軍人は軍人で、殊に下士以下は人の娘は勿論、後家は勿論、あるいは人の妻をすら翫弄して、それが当然の権利であり、国民の義務であるとまで済まして居たらしい。

三円借せ、五円借せ、母はそろそろ自分を攻め初めた。自分は出来るだけその望に応じて、苦しい中を何とか工夫して出してやった。

月給十五円。それで親子三人が食ってゆくのである。なんで余裕があろう。小学校の教員はすべからく焼塩か何にかで三度のめしを食い、以て教場においては国家の干城たる軍人を崇拝すべく七歳より十三、四歳までの児童に教訓せよと時代は命令して居るのである。

唯々として自分はこの命令を奉じて居た。

しかし母と妹との節操を軍人閣下に献上し、更らにまた、この十五円の中から五円三円と割いて、母と妹とが淫酒[9]の料に捧げなければならぬかを思い、流石お人好の自分も頗る当惑したのである。

酒が醒めかけて来た！　今日はここで止める。

○○○

五月六日

昨日は若い者が三、四人押かけて来て、夜の十二時過ぎまで飲み、だみ声を張上げて歌ったので疲れて了い、何時寝たのか知らぬ間に夜が明けて今日。それで昨日の日記がお休み。

さても気楽な教員。酒を飲うが歌おうが、お露を可愛がって抱いて寝ようが、それで先生の資格なしとやかましく言う者はこの島に一人もない。

特別に自分を尊敬も為ない代りに、魚あれば魚、野菜あれば野菜、誰が持て来たとも知れず台所に投りこんである。一升徳利をぶらさげて先生、憚りながら地酒では御座らぬ、お露の酌で飲んで見さっせと椽先へ置いて去く老人もある。

ああ気楽だ、自由だ。母もいらぬ、妹もいらぬ、妻子もいらぬ。慾もなければ得もない。それで居てお露が無暗に可愛のは不思議じゃないか。

何が不思議。可愛いから可愛いので、お露とならば何時でも死ぬる。

十日前のこと、自分は椽先に出て月を眺め、朧ろに霞んで湖水のような海を見おろしながら、お露の酌で飲んで居ると、ふと死んだ妻子のこと、東京の母や妹のことを思いだし、またこの身の流転を思うて、我知らず涙を落すと、お露は見て居たが、その鈴のような眼に涙を一ぱい含くませた。その以前自分はお露に涙を見せたことなく、お露もまた自分に涙を見せたことはないのである。さても可愛いこの娘、この大河なる団栗眼(10)の猿のような面をして居る男にもどこか異な処が有るかして、朝夕慕い寄り、乙女心の限りを尽して親切にして呉れる不便さ。

自然生の三吉[11]が文句じゃないが、今となりては、外に望は何にもない、光栄ある歴史もなければ国家の干城たる軍人も居ないこの島。この島に生れてこの島に死し、死してはあの、そら今風が鳴って居る山陰の静かな墓場に眠る人々の仲間入りして、この島の土となりたいばかり。

お露を妻に持って島の者にならっせ、お前さん一人、遊んで居ても島の者が一生養なって上げまさ、と六兵衛が言って呉れた時、嬉しいやら情けないやらで泣きたかった。そして見ると、自分の周囲にはどこかに悲惨の影が取巻て居て、人の憐愍を自然に惹くのかも知れない。自分の性質にはどこかに人なつこいところがあって、自と人の親愛を受けるのかも知れない。

何れにせよ、自分の性質には思い切って人に逆らうことの出来る、ピンとした処はないので、心では思っても行に出すことの出来ない場合が幾多もある。

ああ哀れ気の毒千万なる男よ！　母の為め妹の為めに可くないと思った下宿の件も遂には止め終せなかったも当然。母と妹の浅ましい堕落を知りつつも思い切って言いだし得ず、言いだしても争そうことの出来なかったも当然。苦るしい中を算段して、いやいやながらも母と妹とに淫酒の料をささげたもこれまた当然。

二十四日の晩であった、母から手紙が来て、明二十五日の午後まかり出るから金五円至急に調達せよと申込んで来た時、自分は思わず吐息をついて長火鉢の前に坐ったまま拱手をして首を垂れた。

「如何なさいました？」と病身な妻は驚いて問うた。

「これを御覧」と自分は手紙を妻に渡した。妻は見て居たが、これも黙って吐息したまま手紙を下に置く。

「何故こんな無理ばかり言って来るだろう。」

「そうですね……」

「最早一文なしだろう？」

「一円ばかし有ります。」

「有ったってそれを渡したら宅で困って了う。可いよ、明日母上が来たら私がきっぱりお謝絶するから。そうそうは私達だって困らアね。それも今日母上や妹の露命をつなぐ為めとか何とか別に立派な費い途でも有るのなら、借金してだって、衣類を質草に為たって五円や三円位なら私の力にでも出来して上げるけれど、兵隊に貢ぐのやら訳もわからない金だもの。可いよ、明日こそ私しが思いきり言うから、それで聴かないなら如何にでも勝手になさいと言ってやるから。」

「言うのはお止しなさいよ。」

「何故や、言うよ、明日こそ言うよ。」

「だってね母上のことだからまた大きな声をして必定お怒鳴になるから、近処へ聞えても外聞が悪いし、それにね、貴所が思い切たことを被仰ると直ぐ私が恨まれますから。それでなくても私が気に喰わんから一所に居たくても為方なしに別居して嫌な下宿屋までして居るんだって言いふらしてお居でになるんですから。」とお政は最早泣き声になって居る。

「しかし実際明日母上が見えたって渡す金が無いじゃアないか。」

「私が明日のお昼までに如何にか致します。」

「如何にかって、お前に出来る位なら私にだって何とか為りそうなものだが、実際始末にいけないのじゃないか。」

「今度だけ私にまかして下さい、何とか致しますから。」と言われて自分は強て争わず、めいいり込んだ気を引きたてて改築事務を少しばかり執て床に就いた。

○○○

五月七日

一寝入したかと思うと、フト眼が覚めた、眼が覚めたのではなく可怕い力が闇の底から手を伸して揺り起したのである。

その頃学校改築のことで自分はその委員長。自分の外に六名の委員が居ても多くは有名無実で、本気で世話を焼くものは自分の外に升屋の老人ばかり。予算から寄附金のことまで自分が先に立って苦労する、敷地の買上、その代価の交渉、受負師との掛引、割当てた寄附金の取立、現金の始末まで自分に為せられるので、自然と算盤が机の上に置れ通し。持前の性分、間に合わして置くことが出来ず、朝から寝るまで心配の絶えない処へ、母と妹とが堕落の件。殊にまたぞろ母からの無理な申込で頭を痛めた故か、その夜は寝ぐるしく、怪しい夢ばかり見て我ながら眠って居るのか、覚めて居るのか判然ぬ位であった。

何か物音が為たと思うと眼が覚めた。さては盗賊と半ば身体を起してきょろきょろと四辺を見廻したが、森としてその様子もない。夢であったか現であったか、頭が錯乱して居るので判然しない。

言うに言われぬ恐怖さが身内に漲ぎって如何してもその儘眠ることが出来ないので、思い切って起上がった。

次の八畳の間の間の襖は故意と一枚開けてあるが、豆洋燈の火はその入口までも達かず、中は真闇。自分の寝て居る六畳の間すら煤けた天井の影暗く被い、靄霧でもかかったように思われた。

妻のお政はすやすやと寝入り、その傍に二歳になる助がその顔を小枕に押着けて愛らしい手を母の腮の下に遠慮なく突込んで居る。お政の顔色の悪さ。さなきだに[12]蒼ざめて血色悪しき顔に夜目には死人かと怪しまれるばかり。剰え髪は乱れて頬にかかり、頬の肉やや落ちて、身体の健かならぬと心に苦労多きとを示して居る。自分は音を立てぬようにその枕元を歩いて、長火鉢の上なる豆洋燈を取上げた。

暫時聴耳を聳て何を聞くともなく突立って居たのは、なお八畳の間を見分する必要が有るかと疑がって居るので。しかし確に箪笥を開ける音がした、障子をするすると開ける音を聞いて、夢か現か兎も角と八畳の間に忍足で入って見たが、別に異変はない。椽側から、台所に出て真闇の中をそっと覗くと、臭気のある冷たい空気が気味悪く顔を掠めた。敷居に立って豆洋燈を高くかかげて真暗の隅々を熟と見て居たが、竈の横にかくれて黒い風呂敷包が半分出て居るのに目が着いた。不審に思い、中を開けて見ると現われたのが一筋の女帯。

驚くまいことか、これお政が外出の唯た一本の帯、升屋の老人が特に祝わって呉れた品である。何故これがここに隠してあるのだろう。

自分の寝静まるのを待って、お政はひそかに箪笥からこの帯を引出し、明朝早くこれを質屋に持込んで母への金を作る積と思い当った時、自分は我知らず涙が頬を流れるのを拭き得なかった。

　自分はそのまま帯を風呂敷に包んで元の所に置き、寝間に還って長火鉢の前に坐わり烟草を吹かしながら物思に沈んだ。自分は果してあの母の実子だろうかというような怪しい惨ましい考が起って来る。現に自分の気性と母及び妹の気象とは全然異って居る。しかし父には十の年に別れたのであるから、父の気象に自分が似て生れたということも自分には解らない。かすかに覚えて居る所では父は柔和い方で、荒々しく母や自分などを叱ったことはなかった。母に叱られて柱に縛りつけられたのを父が解て呉れたことを覚えて居る。その時母が父にも怒を移して慳貪に口をきいたことをも思い出し、父のこと母のこと、それからそれへと思を聯ね、果は親子の愛、兄弟の愛、夫婦の愛などいうことにまで考え込んで、これまでに知らない深い人情の秘密に触れたような気にもなった。

　お政は痛ましく助は可愛く、父上は恋しく、懐かしく、母と妹は悪くもあり、痛ましくもあり、子供の時など思い起しては恋しくもあり、突然寄附金の事を思いだしては心配で堪らず、運動場に敷く小砂利のことまで考えだし、頭はぐらぐらして気は遠くなり、それで居て神経はどこかに焦々した気味がある……

　嗚呼！　何故あの時自分は酒を呑なかったろう。今は舌打して飲む酒、呑ば酔い、酔えば楽しいこの酒を何故飲なかったろう。

五月八日

明くれば十月二十五日自分に取って大厄日。

自分は朝起きて、日曜日のことゆえ朝食も急がず、小児を抱て庭に出で、そこらをぶらぶら散歩しながら考えた、帯の事を自分から言い出して止めようかと。

しかし止めて見た処で別に金の工面の出来るでもなし、さりとて断然母に謝絶することは妻の断て止める処でもあるし。つまり自分は知らぬ顔をして居て妻の為すがままに任かすことに思い定めた。

朝食を終るや直ぐ机に向って改築事務を執って居ると、升屋の老人、生垣の外から声をかけた。

「お早う御座い、」と言いつつ椽先に廻って「朝ぱらから御勉強だね。」

「折角の日曜もこの頃はつぶれて御座います。」

「ハハハハッ何に今に遊ばれるよ、学校でも立派に出来あがった処で、しんみりと戦いたいものだ、私は今からそれを楽みに為て居る。」

座に着いて老人は烟管を取出した。この老人と自分、外に村の者、町の者、出張所の代診、派出所の巡査など五、六名の者は笊碁[13]の仲間で、殊に自分と升屋とは暇さえあれば気永な勝負を争って楽んで居たのが、改築の騒から此方、外の者は兎も角、自分はほとんど何より嗜好、唯一の道楽である碁すら打ち得なかったのである。

「来月一ぱいは打てそうもありません。」

「その代りは冬休という奴が直ぐ前に控えて居ますからな。左右に火鉢、甘い茶を飲みながら打つ楽はまた別だ」といいつつ老人は懐中から新聞を一枚出して、急に真顔になり

「ちょっとこれを御覧。」

披げて二面の電報欄を指した。見るとある地方で小学校新築落成式を挙げし当日、廊の欄が倒れて四、五十人の児童庭に顚落し重傷者二名、軽傷者三十名との珍事の報道である。

「大変ですね。どうしたと言うんでしょう?」

「だから私が言わんことじゃアない。その通りだ、安普請をするとその通りだ。原などは余り経費がかかり過ぎるなんて理屈を並べたが、こういう実例が上って見ると文句はあるまい。全体大切な児童を幾百人と集るのだもの、丈夫な上にも丈夫に建るのが当然だ。今日一つ原に会ってこの新聞を見せてやらなければならん。」

「無闇な事も出来ますまいが、今度の設計なら決して高い予算じゃ御座いませんよ、

何にしろあの建坪ですもの、八千円なら安い位なものです。」

「いやその安価のが私ゃ気に喰わんのだが、先ず御互の議論が通ってあの予算で行くのだから、そう安ぽい直ぐ欄の倒れるような険呑なものは出来上らんと思うがね、」と言って気を更え、「そこで寄附金じゃがまだ大な口が二、三残っては居ないかね？」

「まだ三口ほど残って居ます。」

「それじゃア私がこれから廻って見よう。」

「そうですか、それでは大井様を願います。今日渡すから人をよこして呉ろと云って来ましたから。」

「百円だったね？」と老人は念を推した。

「そうです。」

そこで老人は程遠からぬ華族大井家の方へ廻るとて出行きたるに引きちがえてお政は外から帰って来た。老人と自分が話して居る間に質屋に行って来たのである。

「金は出来たろうか。」と自分はどこまでも知らぬ顔で聞いた。妻は、

「出来ました。」と言いつつ小児を脊から下して膝に乗せた。

「如何して出来たのだ。」と自分は問わざるを得なくなった。

「如何してでも可いじゃアありませんか、私が……」と言いかけて淋しげな笑を洩し

た。

「そうさ、お前に任したのだから……処で母上さんが見えたら最早下宿屋は止して一所になって下さいと言って見ようじゃないか。」

「言った処で無益で御座いますよ。」

「無益ということもあるまい。熱心に説けば……」

「無益ですよ、かえって気を悪くなさるばかりですよ。」

「それは多少か気を悪くなさるだろうけれど、言わないで置けばこの後どんなことに成りゆくかも知れないよ。」

「そうですねえ……しかし兵隊さんと如何とかいうようなことは被仰んほうが可う御座いますよ。」

「まさかそんなことまでもは言われも為まいけれど。」

一時間立たぬうちに升屋の老人は帰って来て、

「甘く行ったよ。」と座に着いた。

「どうも御苦労様でした。」

「ハイ確かに百円。渡しましたよ。験ためて下さい。」と紙包を自分の前に。

「今日は日曜で銀行がだめですから貴所の宅に預かって下さいませんか。私の家は用

心が悪う御座いますから。」と自分が言うを老人は笑って打消し、

「大丈夫だよ、今夜だけだもの、私宅だって金庫を備えつけて置くほどの酒屋じゃアなし、ハッハッハッハッハッハッ。取られる時になりゃ私の処だって同じだ。大井様は済んだとして、後の二軒は誰が行く筈になって居ます。」

「午後私が廻る積りです。」

升屋の老人は去り、自分は百円の紙包を机の抽斗に入れた。

。。。。

五月九日
自分は五年前の事を書いて居るのである。十月二十五日の事を書いて居るのである。厭になって了った。書きたくない。

けれども書く、酒を飲みながら書く。この頃島の若いものと一しょに稽古をして居る義太夫。(14) そうだ「玉三」(15)でも唸りながら書こう。面白い！

——昼飯を済まして、自分は外出けようとする処へ母が来て。母が来たら自分の帰るまで待って貰う筈にして置いた処へ。

色の浅黒い、眼に剣のある、一見して一癖あるべき面魂というのが母の人相。背は自分と異ってすらりと高い方。言葉に力がある。

この母の前へ出ると自分の妻などはみじめな者。妻の一言いう中に母は三言五言いう。

妻はもじもじしながらいう。母は号令でもするように言う。母は三言目には喧嘩腰、妻は罵倒されて蒼くなって小さくなる。女でもこれほど異うものかと怪しまれる位。

　母者ひとの御入来。

　そこは端近(16)先ず先ずこれへとも何とも言わぬ中に母はつかつかと上って長火鉢の向へむずとばかり、

「手紙は届いたかね。」との一言で先ず我々の荒胆をひしがれた(17)。

「届きました。」と自分は答えた。

「言って来たことは都合がつくかね?」

「用意して置きました。」とお政は小さい声、母はそろそろ気嫌を改めて、

「ああそれは難有う。毎度お気の毒だと思うんだけれど、ツイね私の方も請取る金が都合よく請取れなかったりするものだから、此方も困るだろうとは知りつつ、何処へも言って行く処がないし、ツイね。」と言って莞爾。

　能く見ると母の顔は決して下品な出来ではない。柔和に構えて、チンとすまして居られると、その剣のある眼つきがかえって威を示し、どこの高貴のお部屋様(18)かと受取られるところもある。

「イイえ如何致しまして。」とお政は言ったぎり、伏目になって助の頭を撫でて居る。

母はちょっと助を見たが、お世辞にも孫の気嫌を取って見る母では無さそうで、実はそうで無い。時と場合でそんなことは如何にでも。

「助の顔色が如何も可くないね。いったい病身な児だから、余程気をつけないと不可ませんよ。」と云いつつ今度は自分の方を向いて、

「学校の方は如何だね。」

「如何も多忙しくって困ります。今日もこれから寄附金のことで出掛ける処でした。」

「そうかね、私にかまわないでお出かけよ、私も今日は日曜だから悠然して居られない。」

「そうでしたね、日曜は兵隊が沢山来る日でしたね。」と自分は何心なく言った。すると母、やはり気がとがめるかして、少し気色を更え、音がカンを帯びて、

「なに私どもの処に下宿して居る方は曹長様(19)ばかりだから、日曜だって平常だってそんなに変らないよ。でもね、日曜は兵が遊びに来るし、それに矢張上に立てば酒位飲まして返すからね自然と私共も忙がしくなる勘定サ。軍人は如何しても景気が可いね。」

「そうですかね。」と自分は気の無い挨拶をしたので、母は愈々気色ばみ、

「だってそうじゃないかお前、今度の戦争だって日本の軍人が豪いから何時も勝つのじゃないか。軍人あっての日本だアね、私共は軍人が一番すきサ。」

この調子だから自分は遂に同居説を持だすことが出来ない。まして品行の噂でも為て、忠告がましいことでも言おうものなら、母は何と言って怒鳴るかも知れない。妻が自分を止めたも無理でない。

「学校の先生なんテ、私は大嫌いサ、ぐずぐずして眼ばかりパチつかして居る処は蚊を捕え損なった疣蛙見たようだ。」とはかつて自分を罵しった言葉。

疣蛙が出ない中にと、自分は、

「ちょっと出て来ます、御悠寛。」とこそこそ出てしまった。何と意気地なき男よ！

思えば母が大意張で自分の金を奪い、遂に自分を不幸のドン底まで落したのも無理はない。自分達夫婦は最初から母に呑れて居たので、母の為ることを怒り、恨み、罵しっては見る者の、自分達の力では母を如何することも出来ないのであった。

酒を飲まない奴は飲む者に凹まされると決定って居るらしい。今の自分であって見ろ！　文句がある。

「母上さん、そりゃア貴女軍人が一番お好きでしょうよ。」とじろりその横顔を見てやる。母のことだから、

「オヤ異なことを言うね、も一度言って御覧。」と眼を釣上げて詰寄るだろう。

「御気に触わったら御勘弁。一ツ差上げましょう。」と杯を奉まつる。「草葉の蔭で父

上が……」とそれからさわり[20]で行く処だが、あの時は如何してあの時分はあんなに野暮天だったろう。

浜を誰か唸って通る。あの節廻しは吉次だ。彼奴声は全たく美いよ。

五月十日

外から帰たのが三時頃であった。妻は突伏して泣いて居る。

「如何したのだ、如何したの？」と自分は驚ろいて訊いたが、お政のことゆえ、泣くばかりで容易に言い得ない。泣くのはこの女の持前で、少しの事にも涙をこぼす。しかし今度のは余程のことが有ったと見えて、自分が聞けば聞くほど益々泣入ばかり。こうなると自分は狼狽えざるを得ない。水を持て来てやりなどすると漸くのことで詳わしく事条が解った。

　お政の苦心は十分母の満足を得なかったのである。折角の帯も三円にしかならず、仕方なしにお政は自分の出て行った後でこの三円を母に渡すと、母は大立腹。二人の問答は次のようであった。

「五円と言って来たのだよ。」

「でもただ今これだけしか無いのですから……」

「だって先刻用意してあると言ったじゃないか。」

「ですから三円だけ漸々(ようようこし)作らえましたから……。」

「そうお。漸々(ようようこし)作らえてお呉(くれ)だったのか。お気の毒でしたね、色々御心配をかけて。必定七屋(きっとななつや)[21]からでも持(もっ)て来たお金でしょう。そんな思(おもい)のとッ着いた金なんか借りたくないよ。何だね人面白(ひとおもしろ)くも無い。可(い)いよ今蔵が帰って来るのを待って居るから。今蔵に言うから。」

「イイえ主人(うち)では知らないのですから……」

「オヤ今蔵は知らないの？ 驚いた、それじゃお前さんが内証(ないしょ)でお貸(かし)なの。嘘を吐(つ)きなさんな、嘘を。今蔵の奴必定(きっと)三円位で追返せとか何とか言ったのだろう。だから自分は私を避(よ)けて出て行ったのだろう。可(い)いよ、待ってるから。晩までだって待って居てやるから。」

「宅(うち)のは全く、全く知らないので……」と妻(さい)は泣いて口がきけない。

「泣かないでも可(い)いじゃアないか。お前さんは亭主の言いつけ通り為(し)たのだから可(い)いじゃアないか。フン何ぞと言うと直(す)ぐ泣くのだ。どうせ私は鬼婆(おにばばア)だから私が何か言うと可怕(こわ)いだろうよ。」

何と言われても一方は泣くばかり、母は一人で並べて居る。

「だから出来なきゃ出来ないと言って寄こせば可(い)いんだ。新町から青山[22]くんだりまで三円ばかしのお金を取りに来るような暇はない身体ですよ。意気地がないから親一人妹一人養うことも出来ずさ、下宿屋家業までさして置いて忠孝の道を児童に教えるなんて、随分変った先生様もあるものだね。しかしお政さんなんぞは幸福さ、いくら親に不孝な男でも女房だけは可愛がるからね。お光などのように兵隊の気嫌まで取て漸々御飯を戴いていく女もあるから、お前さんなんぞ決して不足に思っちゃなりませんよ。」

皮肉も言い尽して、暫らく烟草を吹かしながら坐って居たが、時計を見上げて、

「どうせ避けた位だから、ちょっくら帰って来ないだろう。帰りましょう、私も多忙しい身体だからね。お客様に御飯を上げる仕度も為なければならんし。」と急に起上がって

「紙と筆を借りるよ。置手紙を書くから。」と机の傍に行った。

この時助が劇しく泣きだしたので、妻は抱いて庭に下りて生垣の外を、自分も半分泣きながら、ぶらぶら歩るいて児供を寝かしつけようとして居た。暫くすると急に母は大声で

「お政さん！　お政さん！」と呼んだ。妻は座敷に上がると母は眼に角を立て睨むようにして

「お前さんまで逃げないでも可いよ。人を馬鹿にしてらア。手紙なんぞ書かないから、

帰ったらそう言ってお呉れ。この三円も不用いよ。」と投げだして「最早私も決して来ないし、今蔵も来ないが可い、親とも思うな、子とも思わんからと言ってお呉れ！」非常な剣幕で母は立ち去り、妻はそのまま泣伏したのであった。

自分は一々聴き終わって、今の自分なら、

「宜しい！　不用けゃ三円も上げんばかりだ。泣くな、泣くな、可いじゃないか母上さんの方から母でもない子でも無いというのなら、致かたもないさ。無理も大概にして貰わんとな。」

しかしあの時分はそうでなかった。不孝の子であるように言われて見ると甚どくそれが気にかかる。気にかかるというには種々の意味が含んで居るので、世間体もあるし、教員という第一の資格も欠けて居るようだし、即ち何となく心に安んじないのである。それに三円ということは自分も知らなかったのだ。その点は此方が悪いような気もするので、

「困ったものだ。」と腕組して暫く嘆息をして居たが、

「自分で勝手に下宿屋を行って居ながら、そんなことを言われて見ると、全然私共が悪いように聞える。可いよ、私が今夜行って来よう。そして三円だけ渡して来る。」

五月十一日

今日は朝から雨降り風起りて、湖水のような海も流石に波音が高い。山は鳴って居る。今夜はお露も来ない。先刻まで自分と飲んで居た若者も帰ってしまった。自分は可い心持に酔うて居る。酔うては居るものの如何も孤独の感に堪えない。要するに自分は孤独である。

人の一生は何の為だろう。自分は哲学者でも宗教家でもないから深い理屈は知らないが、自分の今、今という今感ずる所はただ儚さだけである。

如何も人生は儚いものに違いない。理屈は抜にして真実の処は儚いものらしい。もし果敢いものでないならば、たとい人は如何な境遇に堕るとて自分が今感ずるような深い深い悲哀は感じない筈だ。

親とか子とか兄弟とか、朋友とか社会とか、人の周囲には人の心を動かすものが出来て居る。まぎらす者が出来て居る。もしこれらが皆な消え去せて山上に樹って居る一本松のように、ただ一人、無人島の荒磯に住んで居たらどうだろう。風は急に雨は暗く海は怪しく叫ぶ時、人の生命、この地の上に住む人の一生を楽しいもの、望あるものと感ずることが出来ようか。

だから人情は人の食物だ。米や肉が人に必要物なる如く親子や男女や朋友の情は人の心の食物だ。これは比喩でなく事実である。

だから土地に肥料を施す如く、人は色々な文句を作ってこれらの情を肥かうのだ。

そうして見ると神様は甘く人間を作って御座る。ではない人間は甘く猿から進化して居る。

オヤ！　戸をたたく者がある、この雨に。お露だ。可愛いお露だ。

そうだ。人間は甘く猿から進化して居る。

五月十二日

心細いことを書いてる中にお露が来たので、昨夜は書き続きの本文に取りかからなかった。さて――

もしお政が気の勝て居る女ならば、自分がその夜三円持て母を尋ねると言えば、「質屋から持って来たお金なんか厭だと被仰ったのだから持て行かなくったって可う御座いますよ。」と言い放って口惜し涙を流す処だが、お政にはそれが出来ない。母から厭味や皮肉を言われて泣いたのはただ悲くって泣いたので、自分が優しく慰さむれば心も次第に静まり、別に文句は無いのである。

処で母は百円盗んで帰った。自分は今これを冷やかに書くが、机の抽斗を開けて見て百円の紙包が紛失して居るのを知った時は「オヤ！」と叫んだきり容易に二の句が出なかった。

「お前この抽斗を開けや為なかったか。」

「否」

「だって先刻入れて置いた寄附金の包みが見えないよ。」

「まア！」と言って妻は真蒼になった。自分は狼狽て二の抽斗を抽き放って中を一々験ためたけれど無いものは無い。

「先刻母上さんが置手紙を書くってお開けになりましたよ！」

「そうだ！」と自分は膝を拍った時、頭から水を浴たよう。崖を蹈外そうとした刹那の心持。

自分は暫らく茫然として机の抽斗を眺めて居たが、我知らず涙が頰をつとうて流れる。

「余り酷すぎる」と一語わずかに洩し得たばかり、妻は涙の泉も涸たかただ自分の顔を見て血の気のない唇をわなわなと戦わして居る。

「じゃア母上さんが……」と言いかけるのを自分は手を振って打消し、

「黙ってお居で、黙ってお居で」と自分は四囲を見廻して「これから新町まで行って来る。」

「だって貴所……。」

「否や、母上さんに会って取返えして来る。余りだ、余りだ。親だってこの事だけは黙って居られるものか。しかしどうしてそんな浅ましい心を起したのだろう……」

自分は涙を止めることが出来ない。妻も遂に泣きだした。夫婦途方に暮れて実に泣くばかり。思えば母が三円投出したのも、親子の縁を切るなど突飛なことを怒鳴って帰ったのも皆その心が見えすく。

「直ぐ行って来る。親を盗賊に為ることが出来ない。お前心配しないで待てお居で、是非取りかえして来るから。」と自分は大急ぎで仕度し、手箱から亡父の写真を取り出して懐中した。

小春日和の日曜とて、青山の通りは人出多く、大空は澄み渡り、風は砂を立てぬほどに吹き、人々行楽に忙がしい時、不幸の男よ、自分は夢地を辿る心地で外を歩いた。自分は今もこの時を思いだすと、東京なる都会を悪む心を起さずには居られないのである。東宮御所[23]の横手まで来ると突然「大河君、大河君」と呼ぶ者がある。見れば斎藤という、これも建築委員の一人。莞爾しながら近づき、

「如何も相済まん、僕も全然遊んで居て。寄附金は大概集まったろうか。」

寄附金といわれて我知らずどぎまぎしたが「大略集まった。」とわずかに答えて直ぐ傍を向いた。

「廻る所があるなら僕廻っても可いよ。」

「難有う。」と言ったぎり自分が躊躇して居るので斎藤は不審そうに自分を見て居たが「イヤ失敬」と言って去って終った。十歩を隔てて彼は振返って見たに違ない。自分は思わず頸を縮めた。

母に会ったら、何と切出そう。新町に近づくにつれて、これが心配でならぬ。母から反対に怒鳴つけられたら、如何しようなど思うと、母の剣幕が目先に浮んで来て、足は自と立縮む。「もし如何しても返さなかったら」の一念が起ろうとする時、自分は胸を圧つけられるような気がするのでその一念を打消し打消し歩いた。

「大河とみ」の表札。二階建、格子戸、見た処は小官吏の住宅らしく。女姓名だけに金貸でも為そうに見える。一度は引返えして手紙で言おうかとも思ったが、何しろ一大事と、自分は思切って格子戸を潜った。

五月十三日

勝手の間に通って見ると、母は長火鉢の向うに坐って居て、可怕い顔して自分を迎えた。鉄瓶には徳利が入れてある。二階は兵士どもの飲んで居る最中。しかし思ったより静で、妹お光の浮いた笑声と、これに伴う男の太い声は二人か三人。母はじろり自分を見たばかり一言も言わず、大きな声で、

「お光、お銚子が出来たよ。」と二階の上口を向いて呼んだ。「ハイ」とお光は下て来

て自分を見て、

「オヤ兄様」と言ったが笑いもせず、ただ意外という顔付き、その風は赤いものずくめ、如何見ても居酒屋の酌婦としか受取れない。母の可怕い顔と自分の真面目な顔とを見比べて居たが、

「それからね母上さん、お鮨を取って下さいって。」

「そう。幾価ばかり？」

「幾価だか。可い加減で可いでしょう。それから母上さんにもお入なさいって。」

「あア」と母は言って妙な眼つきでお光の顔を見たが、お光はその儘自分の方は見向もしないで二階へ上って了まった。自分はただ坐わったきり、母の何とか言いだすのを待って居た。

「何しに来たの」と母は突慳貪に一言。

「先刻は失礼しました。」と自分は出来るだけ気を落着けて左あらぬ体(24)に言った。

「いいえ如何しまして。色々心配をかけて済なかったね。帰る時お政さんに言って置いたことがあるが聞いてお呉れだったかね？」とどこまでも冷やかに、憎々しげに言いながら起上がって「私はお客様の用で出て来るが、用があるなら待って居てお呉れ」と台所口から出て去って了った。

　自分は腕組みして熟っとして居たが、我母ながらこれ実に悪婆であるとつくづく情なく、ああまで済まして居る処を見ると、言ったところで、無益だと思うと寧そのこと公けの沙汰にして終おうかとの気も起る。しかし現在[25]の母が子の抽斗から盗み出したので、仮令公金であれ、子の情として訴たえる理由には如何してもゆかない。訴たえることは出来ず、母からは取返えすことも出来ないなら、窃かに自分で弁償するより外の手段はない。八千円ばかりの金高から百円を帳面で胡魔化すことは、たとい自分に為し得ても、直ぐ後で発覚る。また自分には左る不正なことは思って見るだけでも身が戦えるようだ。自分が弁償するとしてその金を自分はどこから持て来る？

　思えば思うほど自分は如何して可いか解らなくなって来た。これは如何なことでも母から取返えす外はと、思い定めて居ると母は外から帰って来て、無言で火鉢の向に坐ったが、

「如何だね、聞いてお呉れだったかね？」と言って長い烟管を取上げた。

「何をですか。」と自分は母の顔を見ながら言った。

「まア可いサ聞かなかったのなら。しかしお前の用というのは何だね？」

　自分は懐中から三円出して火鉢の横に置き、

「これは二円不足して居ますが、折角お政が作らえて置いたのですから。取って下さ

い、そう為ませんと……」

「最早不用ないよ。だから私も二度とお前達の厄介にはなるまいし。お前達も私のようなものは親と思わないが可い。その方がお前達のお徳じゃアないか。」

「母上さん。貴女は何故そんなことを急に被仰るのです。」と自分は思わず涙を呑んだ。

「急に言ったのが悪けりゃ謝まります。そうだったね、一年前位に言ったらお前達も幸福だったのに。」

何という皮肉の言葉ぞ、今の自分ならば決然と、

「そうですか、宜しう御座います、それじゃ御言葉に従がいまして親とも思いますまい、子とも思って下さいますな。子とお思いになると飛だお恨みを受けるような事も起るだろうと思いますから。就いては今日私の机の抽斗に百円入れて置きましたそれが、貴女のお帰りになると同時に紛失したので御座いますが、如何がでしょう、もしか反古と間違ってお袂へでもお入になりませんでしたろうか、一応お聞申します。」と腹から出た声を使って、グット急所へ一本。

「何だと親を捕えて泥棒呼わりは聞き捨てになりませんぞ。」と来る所を取って押え、片頬に笑味を見せて、

「これは異なこと！　親子の縁は切れてる筈でしょう。イヤお持帰りになりませんな

らそれで可う御座います、右の次第を届け出るばかりですから。」と大きく出れば、いかな母でも半分落城する所だけれど、あの時の自分に何でこんな芝居が打てよう。悪々しい皮肉を聞かされて、グッと行きづまって了い、手を拱んだまま暫時は頭も得あげず、涙をほろほろこぼして居たが、

「母上さん、それは余りで御座います。」とようように一言、母はどこまでも上手、

「何が余だね。それは此方の文句だよ。チョッ泣虫が揃ってら。面白くもない！」

自分は形無し。またも文句に塞ったが、気を引きたてて父の写真を母の前に置きながら

「父上さんをお伴れ申してのお願で御座います。母上さん。何卒……お返しを願います、それでないと私が……」と漸との思で言いだした。母は直ぐ血相変て、

「オヤそれは何の真似だえ。お可笑なことをお為だねえ。父上さんの写真が何だというの？」

「どうかそう被仰らずに何卒お返しを。今日お持返えりの物を……」

「先刻からお前可笑なことを言うね、私お前に何を借りたえ？」

「何にも申しませんから、何卒そう被仰らずにお返しを願います、それでないと私の立つ瀬がないのですから……」と言わせも果てず母は火鉢を横に膝を進めて、

「怪しからんことを言うよ、それでは私が今日お前の所から何か持ってでも帰ったと言うのだね、聞き捨てになりませんよ。」と声を高めて乗掛る。

「ま、ま、そう大きな声で……」と自分はまごまご。

「大きな声が如何したの、いくらでも大きな声を出すよ……さア今一度言って御覧ん。事とすべに依ればお光も呼んで立合わすよ。」という剣幕。この時二階の笑声もぴたり止んで、下を覗がい聞耳をたてて居る様子。自分は狼狽えて言葉が出ない。もじもじして居ると台所口で「お待遠さま」という声がした。母は、

「お光、お光お鮨が来たよ。」と呼んだ。お光は下りて来る。格子が開いたと思うと

「今日は」と入って来たのが一人の軍曹。(26) 自分をちょっと尻目にかけ、

「御馳走様」とお光が運ぶ鮨の大皿を見ながら、ひょろついて尻餅をついて、長火鉢の横にぶっ坐った。

「おやまあ可いお色ですこと。」と母は今自分を睨みつけて居た眼に媚を浮べて、「どこで。」

「ハッハッ……それは軍事上の秘密に属します。」と軍曹酒気を吐いて「お茶を一ぱい頂戴。」

「今入れて居るじゃありませんか、性急ない児だ」と母は湯呑に充満注いでやって自

分の居ることは、最早忘れたかのよう。二階から大声で、

「大塚、大塚！」

「貴所下りてお出でなさいよ。」と母が呼ぶ。大塚軍曹は上を向いて、

「お光さん、お光さん！」

外所は豆腐屋の売声高く夕暮近い往来の気勢。とてもこの様子ではと自分は急に起て帰ろうとすると、母は柔和い声で、

「最早お帰りかえ。まア可いじゃアないか。そんならまたお来でよ。」と軍曹の前を作ろった。

外へ出たが直ぐ帰えることも出来ず、さりとて人に相談すべき事ではなく、身に降りかかった災難を今更の如く悲しんで、気抜けした人のように当もなく歩いて溜池(27)の傍まで来た。

全たく思案に暮れたが、しかし何とか思案を定めなければならぬ。日は暮れかかり夕飯時になったけれど何を食うとも思わない。

ふと山王台(28)の森に烏の群れ集まるのを見て、暫く彼処のベンチに倚って静かに工夫しようと日吉橋(29)を渡った。

哀れ気の毒な先生！「見すぼらしげな後影」と言いたくなる。酒、酒、何であの時、

蕎麦屋にでも飛込んで、景気よく一、二本も倒さなかったのだろう。

五月十四日

寂寥として人気なき森蔭のベンチに倚ったまま、何時間自分は動かなかったろう。日は全く暮れて四囲は真暗になったけれど、少しも気がつかず、ただ腕組して折り折り嘆息を洩すばかり、ひたすら物思に沈んで居たのである。

実地についての益に立つ考案は出ないで、こうなると種々な空想を描いては打壊わし、また描く。空想から空想、枝から枝が生え、ほとんど止度がない。

痴情の果から母とお光が軍曹に殺ろされる。と一つ思い浮かべるとその悲劇の有様が目の先に浮んで来て、母やお光が血だらけになって逃げ廻る様がありありと見える。今蔵今蔵と母は逃げながら自分を呼ぶ、自分は飛び込んで母を助けようとすると、一人の兵が自分を捉えて動かさない……アッと思うとこの空想が破れる。

自分が百円持って銀行に預けに行く途中で、掏児に取られた体にして届け出よう、そう為ようと考がえた、すると嫌疑が自分にかかり、自分は拘引される、お政と助は拘引中に病死するなどまたまた浅ましい方に空想が移つる。

校舎落成のこと、その落成式の光景、升屋の老人のよろこぶ顔までが目に浮んで来る。

ああ百円あったらなアと思うと、これまで金銭のことなど左まで自分を悩ましたことのないのが、今更の如くその怪しい、恐ろしい力を感じて来る。ただ百円、その金銭さえあれば、母も盗賊にはなるまいものを。よし母は盗みを為た処で、自分にその金銭が有るならば今の場合、自分等夫婦は全く助かるものをなど考がえると、金銭という者が欲くもあり、悪くもあり、同時にその金銭のために少しも悩まされないで、長閑かにこの世を送って居る者が羨ましくもなり、また実に憎々しくもなる。総てこれらの苦々しい情は、これまで勤勉にして信用厚き小学教員、大河今蔵の心には起ったことはないので、ああ金銭が欲しいなアと思わず口に出して、熟と暗い森の奥を見つめた。

すると、がやがやと男女打雑じって、ふざけながら上って来るものがある。

「淋しいじゃ有りませぬか、帰りましょうよ。最早こんな処つまりませんわ。」という女の声は確かにお光。自分はぎょっとして起あがろうとしたが、直ぐそこに近づいて来たのでその儘身動きもせず様子を窺がって居た。人々は全たくここに人あることを気がつかぬらしい。お光が居れば母もと覗がったが女はお光一人、男は二人。

「ねえ最早帰りましょうよ、母上さんが待って居るから。」と甘ったるい声。

「何故母上さんは一所に出なかったのだろう、君知らんかね。」と一人の男が言うと、一人

「頭が痛むとか言って居たっけ。」というや三人急に何か小さな声で囁き合ったが、

同時にどっと笑い、一人が「ヨイショー」と叫けんで手を拍った。

面白ろうない事が至る処、自分に着纏って来る。三人が行き過ぐるや自分は舌打して起ちあがり、そこそこと山を下りて表町[30]に出た。

この上は明日中に何とか処置を着ける積り、一方には手紙で母に今一度十分訴たえて見、一方には愈々という最後の処置は如何するか妻とも能く相談しようと、進まぬながらも東宮御所の横手まで来て、土手について右に廻り青山の原[31]に出た。原を横ぎる方が近いのである。

原を横ぎる時、自分は一個の手提革包を拾った。

五月十五日

如何して手提革包を拾ったかその手続まで詳わしく書くにも当るまい。ただ拾ったので、足にぶつかったから拾ったので、拾って取上げて見ると手提革包であったのである。拾うと直ぐ、金銭！という一念が自分の頭にひらめいた。占たと思った、そして何となく夢ではないかとも思った。というものは実は山王台で種々の空想を描いた時、もし千両[32]も拾ったらなど、恥かしい事だが考がえたからで、それが事実となったらしいからである。革包は容易く開いた。

紙幣の束が三ツ、他に書類などが入って居る。星光にすかしてこれを見た時、その時自分は全たく夢ではないかと思っただけで、それを自分が届け出るとか、横奪することが破廉恥の極だとか、そういうことを考えることは出来なかった。

ただ手短かに天の賜と思った。

不思議なもので一度、良心の力を失なうと今度は反対に積極的に、不正なこと、思いがけぬ大罪を成るべく為し遂んと務めるものらしい。

自分はそっとこの革包を私宅の横に積である材木の間に、しかも巧に隠匿して、紙幣の一束を懐中して素知らぬ顔をして宅に入った。

自分の足音を聞いただけで妻は飛起きて迎えた。助を寝かし着けてそのまま横になって自分の帰宅を待ちあぐんで居たのである。

「如何がでした。」と自分の顔を見るや。

「取り返して来た！」と問われて直ぐ。

この答も我知らず出たので、嘘を吐く気もなく吐いたのである。

既にこうなれば自分は全たくの孤立。母の秘密を保つ身は自分自身の秘密に立籠らねばならなくなった。

「まア如何して？」と妻のうれしそうに問のを苦笑で受けて、手軽く、

「能く事わけを話したら渡した」とのみ。妻はなおその様子まで詳しく聴きたかった

らしいが自分の進まぬ風を見て、別に深くも訊ねず、

「どんなに心配しましたろう。もしも渡さなかったらと思って取越苦労ばかり為ていました。」と万斤[33]の重荷を卸ろしたよろこび。自分は懐に片手を入れて一件を握って居たがまだ夢の醒めきらぬ心地がして茫然として居る。

「御飯は？」

「食って来た。」

「母上さんの処で？」

「あア」

「大変お顔の色が悪う御座いますよ。」と妻は自分の顔を見つめて言う。

「余り心配したせいだろう。」

「直ぐお寝みなさいな。」

「イヤ帳簿の調査もあるからお前先へ寝てお呉れ。」と言って自分は八畳の間に入り机に向った。

しかし妻は容易に寝そうもないので、

「早くお寝みというに。」

自分はこれまで、これほどの角のある言葉すら妻に向って発したことはないのである。

妻は不審そうに自分の方を見て居るようであったが、その中床に就てしまった。自分は一度殊更に火鉢の傍に行って烟草を吸って、間の襖を閉め切って、漸く秘密の左右を得た。[34]

懐からそっと盗すむようにして紙幣の束を出したが、その様子は母が机の抽斗から、紙幣の紙包を出したのと同じであったろう。

一円紙幣で百枚！　全然注文したよう。これを数える手はふるえ、数え終って自分は洋燈の火を熟と見つめた。直ぐこれを明日銀行に預けて帳簿の表を飾ろうと決定たのである。

また盗すまれてはと、簞笥に納うて錠を卸ろすや、今度は提革包の始末。これは妻の寝静まった後ならではと一先素知らぬ顔で床に入った。

床に入って眼を閉じて居る時、この時には幾少か良心の眼は醒めそうなものだが、実際はそうでなかった。魔が自分に投げ与えた一の目的の為めに、良心ならぬ猛烈の意志は冷やかに働らいて、一に妻の鼻息を覗かがって居る。こうして二時間経ち、十二時が打つや、蒼い顔のお政は死人のように横たわって居るのを見届けて、前夜は盗賊を疑ごうて床を脱け出た自分は、今度は自身盗賊のように前夜よりも更に静に、更に巧に、寝間を出て、椽の戸を一分[35]また一分に開け、跣足で外面に首尾能く出た。

星は冴えに冴え、風は死し、秋の夜の静けさ、虫は鳴きしきって居る。不思議なるは自分が、この時かかる目的の為に外面に出ながら、外面に出て二歩三歩あるいて暫時佇立んだ時この寥々として静粛かつ荘厳なる秋の夜の光景が身の毛もよだつまでに眼に沁こんだことである。今もその時の空の美しさを忘れない。そして見ると、善にせよ悪にせよ人の精神凝って雑念の無い時は、外物の印象を受ける力もまた強い者と見える。

材木の間から革包を取出し、難なく座敷に持運んで見ると、他の二束も同じく百円束、都合三百円の金高が入って居たのである。書類は請取の類。薄い帳面もあり、名刺もある。遺失した人は四谷区(36)何町何番地日向某とて穀類の問屋を業として居る者ということが解った。

心の弱い者が悪事を働いた時の常として、何かの言訳を自分が作らねば承知の出来ないが如く、自分は右の遺失た人の住所姓名が解るや直ぐと見事な言訳を自分で作って、そしてほとんど一道の光明を得たかのように嬉こんだ。

一先拝借！　一先拝借して自分の急場を救った上で、その中に母から取返すとも、自分で工夫して金を作るとも、何とでもして取った百円を再び革包に入れ、そのまま人知れず先方に届ける。

天の賜とは実にこの事と、無上によろこび、それから二百円を入れたままの革包を隠す工夫に取りかかった。しかし元来狭い家だから別に安全な隠くし場の有ろう筈がない。思案に尽きて終に自分の書類、学校の帳簿などばかり入て置く箪笥の抽斗に入れてその上に書類を重ねそして鍵は昼夜自分の肌身より離さないことに決定て漸っと安心した。床に就たと思うと二時が打ち、がっかりして直ぐ寝入って終った。

五月十六日

忘れることの出来ない十月二十五日は過ぎた。翌日から自分は平常の通り授業もし改築事務も執り、表面は以前と少しも変らなかった、母からもまた何とも言って来ず、自分も母に手紙で迫る事すら放棄して了い、一日一日と無事に過ぎゆいた。

しかし自分は到底悪人ではない、また度胸のある男でもない。さればこそ母からも附込まれ、遂に母を盗賊にして了い、遂に自分までが賊になってしまったのである。であるから賊になった上でまたもや悶き初めるのは当然である。総て自分のような男は皆な同じ行き方をするので、運命といえば運命。蛙が何時までも蛙であると同じ意味の運命。別に不思議はない。

良心とかいう者が次第に頭を擡げて来た。そして何時も身に着けて居る鍵が気になって堪らなくなって来た。

殊に自分は児童の教員、また倫理を受持って居るので常に忠孝仁義を説かねばならず、善悪邪正を説かねばならず、言行一致が大切じゃと真面目な顔で説かねばならず、その度毎に怪しく心が騒ぐ。生徒の質問の中で、折り折り胸を刺れるようなのがある。中には自分の秘密を知ってあんな質問をするのではあるまいかと疑い、思わず生徒の面を見て直ぐ我顔を負向けることもある。ある日の事、十歳ばかりの児が来て、

「校長先生、岩崎さんが私の鉛筆を拾って返しません。」と訴えて来た。拾ったとか、失ったとか、落したとかいう事は多数の児童を集めて居ることゆえ常に有り勝で怪むに足ないのが、今突然この訴えに接して、自分はドキリ胸にこたえた。

「貴所が気をつけんから落したのだ、待てお居で、今岩崎を呼ぶから。」と言ったのは全然これまでの自分にないことで、児童は喫驚して自分の顔を見た。

岩崎という十二歳になる児童を呼んで「あなたは鉛筆を拾いはしなかったか」と聞くと顔を赤らめてもじもじして居る。

「拾ったでしょう。他人の者を拾ったら直ぐ私の所へ持て出るのが当然だのにそれを自分の物に為るということは盗んだも同じことで、はなはだ善くないことですよ。その鉛筆を直ぐこの人にお返しなさい。」と厳かに命つけた。

そんならば何故自分は他人の革包を自分の箪笥に隠して置くのであるか。

自分はその日校務を了ると直ぐ宅に帰り、一室に屈居で、悶き苦しんだ。自首して出

ようかとも考がえ、それとも学校の方を辞職して了うかとも考がえた。この二を撰ぶ上について更にまた苦しんだけれど、いずれとも決心することが出来ない。自首した後での妻子のことを思い、辞職した後での衣食のことを思い、衣食のことよりも更に自分を動かしたのは折角これまでに計営して校舎の改築も美々しく落成するものを捨て終うは如何にも残念に感じたことである。

そこで一日も早く百円の金を作るが第一と、今度はそれのみに心を砕いたが、当もなんにもない。小学教員に百円の内職は荷が勝ち過ぎる。ただ空想ばかりに耽って居る。起きれば金銭、寝ても百円。ある日のことで自分は女生徒の一人を連れて郊外散歩に出た。その以前は能く生徒の三、四人を伴うて散歩に出たものである。

美しき秋の日で身も軽く、少女は唱歌を歌いながら自分よりか四、五歩先を左も愉快そうに跳ねて行く。路は野原の薄を分けてやや爪先上の処まで来ると、ちらと自分の眼に映ったは草の間から現われて居る紙包。自分は駈け寄って拾いあげて見ると内に百円束が一個。自分は狼狽て懐中にねじこんだ。すると生徒が、

「先生何に?」と寄って来て問うた。

「何でも宜しい!」

「だって何に? 拝見な。よう拝見な。」と自分にあまえてぶら下った。

「可けないと言うに！」自分は少女を突飛ばすと、少女は仰向けに倒れかかったので、自分は思わずアッと叫けんでこれを支えようとした時、覚れば夢であって、自分は昼飯後教員室の倚子に凭れたまま転寝をして居たのであった。

拾った金銭の穴を埋めんと悶いてまた夢に金銭を拾う。自分は醒めた後で、人間の心の浅ましさを染々と感じた。

五月十七日

妻のお政は自分の様子の変ったのに驚ろいて居るようである。自分は心にこれほどの苦悶のあるのを少しも外に見せないなどいうことの出来る男でない。のみならずもし妻がこの秘密を知ったなら如何しようと宅に在てはそれがまた苦労の一で、妻の顔を見ても、感付ては居まいかとその眼色を読む。絶えずキョトキョトして、そわそわして安んじないばかりか、心に爛た処が有るから何でもないことで妻に角立った言葉を使うことがある。無言で一日暮すこともあり、自分の性質の特色ともいうべき温和な人なつこいところはほとんど消え失せ、自分の性質の裏ともいうべき妙にひねくれた片意地の処ばかり潮の退た後の岩のように、ごつごつと現われ残ったので、妻が内心驚ろいて居るのも決して不思議ではない。

温和で正直だけが取柄の人間の、その取柄を失なったほど、不愉快な者はあるまい。

渋を抜いた柿の腐敗りかかったようなもので、とても近よることは出来ない。妻が自分を面白からず思い気味悪う思い、そして鬱いでばかり居て、折り折り左も気の無さそうな嘆息を洩すのも決して無理ではない。

これを見るにつけて自分の心は愈々爛れるばかり。しかし運命は永くこの不幸な男女を弄そばず、自分が革包を隠した日より一月目、十一月二十五日の夜を以って大切(37)と為て呉れた。

この夜自分は学校の用で神田までゆき九時頃帰宅って見ると、妻が助を背負ったまま火鉢の前に坐って蒼い顔というよりか凄い顔をして居る。そして自分が帰宅っても挨拶も為ない。眼の辺には泣きただらした痕の残って居るのが明々地と解る。

この様子を見て自分は驚いたというよりか懼れた。懼れたというよりか戦慄した。

「オイ如何したの？　お前如何したの？」と急きこんで問うたが、妻はその凄い眼で自分をじろりと見たばかりで一語も発しない。ふと気が着いて見ると、簞笥を入た押込の襖が開けっ放して、例の秘密の抽斗が半分開いて居た。自分は飛び起った。

「誰が開けたのだ。」と叫けんで抽斗に手をかけた。

「私が開けました。」と妻の沈着き払った答。

「何故開けた、如何して開けた。」

「委員会から帳簿を借して呉れろと言って来ましたから開けて渡しました。」とじろり自分の顔を見た。

「何だって私の居ないのに渡した、え何だって渡した。怪からんことだ。」と喚きつつ抽斗の中を見ると、革包が出て居てしかも口を開けたままである。

「お前これを見たな!」と叫けんで「可し私にも覚悟がある、覚悟がある」と怒鳴りながらその儘抽斗を閉めて錠を卸し、非常な剣幕で外面に飛び出して了まった。

無我夢中でそこらを歩いて何時しか青山の原に出たが矢張当もなく歩いて居る。けれども結局、妻に秘密を知られたので、別に覚悟も何にも無いのである。ただ喫驚した余りに怒鳴り、狼狽えた余に喚いたので、外面に飛び出したのは逃げ出したるに過ぎない。

であるから歩るいて居る中に次第に心が静まって来た。こうなっては何もかも妻に打明けて、この先のことも相談しよう、そうすればかえって妻と自分との間の今の面白ろくない有様から逃れ出ることも出来ると、急いで宅に帰った。

何故そんならば革包を拾って帰った時に相談しなかった。と問うを止めよ。大河今蔵の筆法は万事これなのである。

帰って見ると妻の姿が見えない。見えないも道理、助を背負たまま裏の井戸の中に死で居た。

お政はこれまで決して自分の錠を卸して置いた処を開けるようなことは為なかった。しかし何時か自分の挙動で箪笥の中に秘密のあることを推し、帳簿を取りに寄こされたを幸に無理に開けたに相違ない。鍵は用箪笥のを用いたらしい。革包の中を見て如何にか驚いたろう。思うに自分が盗んだものと信じたに違いない。しかし書置などは見当らなかった。

何故死んだか。誰一人この秘密を知る者はない。升屋の老人の推測は、お政の天性憂鬱である上に病身で兎角健康勝れず、それが為に気がふれたに違いないということである。自分の秘密を知らぬものの推測としてはこれが最も当って居るので、お政の天性と痩弱なことは確に幾分の源因を為して居る。もしこれが自分の母の如きであったなら決して自殺など為ない。

自分は直ぐ辞表を出した。言うまでもなく非常に止められたが遂には、この場合無理もない、強て止めるのはかえって気の毒と、三百円の慰労金で放免して呉れた。

実際自分は放免して呉れると否とに関らず、自分には最早何を為る力も無くなって了ったのである。人々は死だ妻よりも生き残った自分を憐れんだ。そこで三百円という類稀なる慰労金まで支出したのも、升屋の老人などの発起に成ったのである。

妻子の葬儀には母と妹も来た。そして人々も当然と思い、二人も当然らしく挙動った。

自分は母を見ても妹を見ても、普通の会葬者を見るのと何の変もなかった。

三百円を受けた時は嬉しくもなく難有くもなくまた厭とも思わず。その中百円を葬儀の経費に百円を革包に返し、残の百円及び家財道具を売り払った金を旅費として飄然と東京を離れて了った。立つ前夜密に例の手提革包を四谷の持主に送り届けた。

何時自分が東京を去ったか、何処を指して出たか、何人も知らない、母にも手紙一つ出さず、建前が済んで内部の造作も半ば出来上った新築校舎にすら一瞥も呉れないで夜窃かに迷い出たのである。

大阪に、岡山に、広島に、西へ西へと流れて遂にこの島に漂着したのが去年の春。妻子の水死後全然失神者となって東京を出てこの方幾度自殺しようと思ったか知れない。衣食のために色々の業に従がい、種々の人間、種々の事柄に出会い、雨にも打たれ風にも揉れ、往時を想うて泣き今に当って苦しみ、そして五年の歳月は澱みながらも絶ず流れて遂にこの今の泡の塊のような軽石のような人間を作り上たのである。

三年前までは死んだ赤児の泣声がややもすると耳に着き、蒼白い妻の水を被った凄い姿が眼の先にちらついたが、酒のお蔭で遂に追払って了った。しかし今でも真夜中にふと眼を醒ますと酒も大略醒めて居て、眼の先を児を背負ったお政がぐるぐる廻って遠くなり近くなり遂に暗の中に消えるようなことが時々ある。しかし別に可怕しくもない。

お政も今は横顔だけ自分に見せるばかり。思うに遠からず彼方向いて去って了うだろう。不思議なことには真面目にお政のことを想う時は決してその浅ましい姿など眼に浮ばないで現われる時は何時も突然である。可愛いお露に比べて見るとお政などは何でもない。母などは更に何でもない。

五月十九日

昨夜は六兵衛が来て遅くまで飲んだ。六兵衛の言い草が面白いでないか。

「お露を妻に持なせえ。」

「持っても可いなア。」

「持ても可えなんチュウことは言わさん、あれほど可愛いがって居ってまだ文句が有るのか。」

「全くあの女は可愛いよ、何故こう可愛いだろう、ハハハハ……」

「先方でも其えに言うてら、如何でこう先生が可愛いのか解らんチュウて。」

「左ようさ、私見たような男のどこが可いのかお露は無暗と可愛いがって呉れるが妙だ。これは私にも解らんよ。」

「そうで無えだ、先生のような人は誰でも可愛がりますぞ。お露が可愛がるのは無理が無えだ。」

「ハハハハ何故や、何故や。」

「何故チュウて問われると困るが、一口に言うと先生は苦労人だ。それで居て面白ろい処があって優しいところがあるだ。先生とこう飲んで居ると私でも四十年も前の情話でも為て見たくなる、先生なら黙って聴いて呉れそうに思われるだ。島中先生を好んものは有りましねえで。お露や私を初め。」

自分は如何してこう老人の気に入るだろう。老人といえば升屋の老人は今頃誰を対手に碁を打って居ることやら。

六兵衛はまたこう言った

「先生は一度妻を持たことが有るに違いなかろう。」

「如何して知れる。」

「如何してチュウて、それは老人の眼には知れる。」

「全く有ったよ、しかし余程以前に死で了った。」

「ハアそれは気の毒なことをなされました。」

「けれどもね六兵衛さん、死だ妻はお露ほど可愛くなかったよ。何でも無ったよ。」

「それは不実だ。先生もなかなか浮気だの、新らしいのが可えだ。」と言って老人は笑った。

自分もただ笑って答えなかった。不実か浮気か、そんなことは知らない。お露は可愛い。お政は気の毒。

酒の上の管ではないが、夫婦というものは大して難有いものでは無い。別してお政なんぞ、あれは升屋の老人が呉れたので、呉れたから貰ったので、貰ったから子が出来たのだ。

母もそうだ、自分を生んだから自分の母だ、母だから自分で育てたのだ。そこで親子の情があれば真実の親子であるが、無ければ他人だ。百円盗んで置きながら親子の縁を切るなど文句が面白ろい。初から他人なのだ。

自分は小供の時から母に馴染まなんだ。母も自分には極て情が薄かった。

明日は日曜。同勢四、五人舟で押出す約束であるが、お露も連れこみたいものだ。

＊　＊　＊

大河今蔵の日記は以上にて終りぬ。彼は翌日誤つて舟より落ち遂に水死せるなり。酔に任せ起つて躍り居たるに突然水の面を見入りつ、お政お政と連呼して其まゝ顚落せるなりといふ。

記者去年帰省して旧友の小学校教員に会ふ、此日記は彼の手に秘蔵され居たるなり。

馬島に哀れなる少女あり大河の死後四月にして児を生む、これ大河が片身、少女はお露なりとぞ。

猶ほ友の語る処に依れば、お露は美人ならねども其眼に人を動かす力あふれ、小柄なれども強健なる体格を具へ、島の若者多くは心ひそかに之を得んものと互に争ひ居たるを、一度大河に少女の心移や、皆大河のためにこれを祝して敢て嫉もの無かりしといふ。

お露は児のために生き、児は島人の何人にも抱かれ、大河は其望む処を達して島の奥、森蔭暗き墓場に眠るを得たり。

記者思ふに不幸なる大河の日記に依りて大河の総を知ること能はず、何となれば日記は則ち大河自身が書き、而して其日記には彼が馬島に於ける生活を多く誌さざればなり。故に余輩は彼を知るに於て、彼の日記を通して彼の過去を知るは勿論、馬島に於ける彼が日常をも推測せざる可らず。

記者は彼を指して不幸なる男よといふのみ、其他を言ふに忍びず、彼も亦た自己を憐れみて、やゝもすれば曰く、あゝ不幸なる男よと。

酒中日記とは大河自から題したるなり。題して酒中日記といふ既に悲惨なり、況んや実際彼の筆を採る必ず酔後に於てせるをや。此日記を読むに当て特に記憶すべきは実に又この事実なり。

お政は児を負ふて彼に先ち、お露は彼に残されて児を負ふ。何れか不幸、何か悲惨。

馬上の友

「君、最早寝るのか?」と今しも当直を終て士官室[1]に入って来た一人の大尉[2]が、自分に問うた。

「寝るには早し、起きて居ても対話者はなし、困って居た処サ。」と自分は起かけて居た腰を更にソファに卸して「それとも何か珍談が有るかね?」

「大ありだ、まア話したまえ。」と言いつつ大尉は手早く外套の頭布を脱ぎ、巻いて居た白い毛糸の頸巻を外し、ハンケチで顔を磨りながら「鼻の先の感覚が無なって了った。恐しい風だ。ボーイ!」声に応じて使童室の小窓が開き、眠むそうな眼つきをした水兵の顔が現われた。

「湯が沸てるなら、一本熱くして呉れ。出来なけァウイスキーを持て来い!」と彼は命じた。

時は明治二十七年十二月の末、我国の艦隊が、大連湾[3]に集合して栄城湾[4]上陸の準備の整うのを待って居た頃である。自分は新聞記者、大尉は兼て自分と仲よく話して話も能く合う士官の一人である。

ボーイはウイスキーを持て来た。大尉は自分にも杯を差して

「是非君に聞いて貰いたい珍談があるのだ。」と頗る愉快げに言って彼はその杯を干し

「聴いて呉れるか？」

「聴くとも、話したまえ。」

夜は更けて一艦の人、その職に在るものの外は悉く寝て了い、朔風(5)帆綱をたたいて艦上は物凄く鳴って居るけれど、室内は極て静である。

士官はその一語一句力ある口調で――

僕は今日、公務を帯びて運送船備後丸に行ったが、あの船には君も知て居る通り、海軍士官が乗て居る、その士官と用談を済して帰るべく舷門(6)のところまで来たのだ（大尉は欧文直訳風の口調を使うのが癖で、しかもその癖を彼は得意として居るのである。）すると一人の男がそこに立て居て他の船員と何事か物語りつつあった。僕は何心なく舷門を下りかけるとその男が手を挙げて僕に敬礼するトタン、僕と彼とは互に顔を見合して驚いたというよりかむしろ訝かったというが適当だろう。

如何も見たことのある男だと僕は思て、思わず足を止めた。けれどももしもこの時、

この船のボーイが来て今一度僕を士官の部屋に呼びもどさなかったならば、僕は不審と思いつつも直に舷門を下りてそのまま小蒸汽に乗り、帰艦て来て了ったろうと思う。

運命は僕等を幸いした。(7) 僕が二足三足、舷梯を下りかけるとボーイが飛んで来て僕を呼び止め、僕は再びケビンに呼びこまれて、互に失念して居た用務を弁ずべく更に二十分ばかりを費した。

その用務が済むと直に僕は対手の士官に向い、顔の四角な、眼のぎょろりとした、口髭の真黒な、年の頃は二十八、九かそれとも三十位な、背の高い、この船の事務員らしい男は、彼は何者だと訊た。士官は手軽に

「事務長だろう、それは。」

「名前は?」と僕は問うた。

「糸井というのが姓だが、名は知ない、今度初てこの船に乗たので……」

士官の言葉の終らぬ中に僕は「糸井! 糸井! 糸井!」と叫けんだ。士官は喫驚して、僕の顔を見て居たが、元来、余り好奇心に誘われない男、むしろその頭のまだ黒い割合にはその心が少々固定して居る男だから、僕のこの叫声について左までの注意を払わず、シガー(8)を口にしたまま、ただ眼を大きく見張った計であった。

僕は直ぐケビンを出て甲板にのぼるや、一人の水夫に向って事務長の部屋に案内しろ

と命じた。
「事務長は彼処に居ます。」と水夫の指す方を見ると、先の男は欄干に寄って、ただ一人茫然と立って居る、その様が、その男も僕と同く、ある一種の不審に打れて、それを解くべく心を悩して居たらしかった。
僕はツカツカと近づいて、言葉静かに
「貴方はもしか糸井国之助君とは申されませんか、間違ったら失礼ですが。」と云た。そして対手の顔をツクヅクと見た。対手は暫時く口ごもって居たが、たちまち物慣れた口調と、船の事務員に通有なる慇懃の態度を以て
「私は糸井で御座いますが、そうお仰いますともしか貴方は……」皆まで言わさず、僕は直ぐ手を出して
「野村です、野村勉二郎です。」と叫んだ。糸井の手はジッとばかり僕の手を握って、僕も彼も、暫時く言葉を出し得なかった。
僕が海軍士官の一人位になって居る事は別に彼を驚かす程の身の成ゆきではない。けれども糸井その人が日本第一の汽船会社に事務長の役を務め居ることを発見した僕の驚愕は決して尋常ではなかったのである。
僕と糸井の再会の歓喜が如何なる言葉に依って互に言い交わされたかを詳しく言う必

要もあるまい。二人は直に食堂に入って杯をあげ互の健康を祝した。そもそもこの糸井なる男は何者であるか。まア聴て呉れたまえ、こういう訳だ——

僕のまだ十五の時だ。そうだ中学校に初めて入った年の秋のことだ。小春日和の佳い天気の日であったが、僕の宅から五、六丁(9)もゆくと小な丘がある、それは他の山脈は全く独立して居るので恰度瘤のように見える、それへ僕は一人で遊びに出かけた。

日曜だから他にも少年が遊びに来て居た。この丘に登ると町が一目で見わたされるので公園にでもすれば持て来いの場所だが、小けな町には別に公園の必要もないのでただ少年等の遊場になって居るばかり。

僕は木の根に腰をかけて何心なく下を見て居ると直ぐ目の下の並木道を、一人の少年が馬に乗って面白そうに駈けて居たが、折り折りその姿が樹の枝に隠れて見えなくなるかと思うとまた現われ、少年は三、四丁の処に往きつもどりつして、自在に馬を扱かって居るのである。僕は一心に見て居たが、次第にそれが羨やましくなって、自分でも乗て見たくて堪らなくなった。

直ぐ丘を下りて並木道に出て見ると、(10)少年は恰度僕の前に馬を進めて来た。見れば僕と同年頃の少年で、身には粗末な筒袖の衣服を着て、頭の髪は蓬々と生えたまま櫛を入れたこともないらしい、がその顔は丸く肥ってその眼つきは如何も凛々しげに、その様子が一見して農家の児とは趣を異にして居るのである。

少年は僕の前を二、三度駈け通ったが、たちまち馬首を転じて桑園の中に乗り入って了った。細い径が一筋、桑園を通じて一軒の茅屋に達して居る。

僕は茫然とその後姿を見送って居たが、ふと一策を思いつき、直ぐその後について桑園の中に入って、やや暫くゆくと右傍に棒が立て居て、それに「かし馬」の三字を筆太に書いた板が釘付けにしてあるのを発見した。

「かし馬」があるということを聞いて居たが、さてはこの馬かと僕はそのままツカツカと内に入ると今しもさきの少年が馬から下りて馬を柿の木に繋いで居るところ。

少年はちょっと僕を振り向いて見たが、黙って内庭に入って了った。見廻すと、古ぼけた母屋は、重い屋根に圧しつけられて今にも圧しつぶされそうである。軒は傾き柱は歪んで居て、藁葺屋根は名ばかり、緑の苔、白い苔一面に敷いてその所々に雑草すら生えて居る。物置のような馬小屋に馬が一頭繋いである。

四辺は藁、枯草、木の枝などが散乱してその間を矮鶏[11]が二、三羽餌をあさって居た。

僕は柿の木の傍に近づいて馬を見て居ると、内庭からのそり現われた男は、年頃五十幾歳、目の深く落窪んだ、胡麻白頭の[12]、背の高い人物。無言で僕を見て居たが、

「貴君は馬に乗れるのか?」と一言、如何にも人を馬鹿にした口調で問うた。

「乗ったことはないが乗って見たいと思うて居るのだ。」と僕も平気で答えてやった。
「そんなら乗って見るが可い」と言いつつ、彼、その人は僕がこの家の主人と鑑定した、気嫌しそうな老人は直に馬首を捉えて控えて居る。

凹むことの何よりも嫌な、生意気なる少年なる僕は、内心ややひるんだけれど、先の少年に励まされて居たから勇気を鼓して、馬の傍に寄り、鞍に手をかけた。そして足を鐙(13)に掛けたまでは可いが、なかなか身体が軽く馬の背に上らない。中学校の運動場で、木馬(14)を飛び越えることに自慢して居た僕も、生た馬の背に乗る一段に及んで頗る当惑して居ると、傍で苦笑をして居た意地の悪いお爺さん、遂に見かねたか、その荒々しい腕を伸して僕の身体をちょいと掬った。と思うと僕の身体は早くも馬の上に在るを発見した。

さて馬の背に乗って見ると、生れてから初て馬なる動物に乗た僕は、馬の丈の今更に高く、馬の背の今更に幅広く、しかして我身体が一種異様なる弾力に支られて居るを感じて驚いた。

どこまでも人の悪いお爺さんは手綱を柿の木から解いて馬の頭を並木道の方に向け、「そら!」と言いさま、その手綱を鞍へ投げかけた。人の善さそうな馬はのそりのそりと、さも面倒臭そうにその四足を動かしはじめた。この時、この馬がもし、馬の主人のような意地悪るならば、必定思ったに違ない、「生意気な小僧だ。一ツおどかして、泣面かかしてやろう。」と後足で急に突立つ位な芸を演じたかも知れない。

けれども元来少年に向って甚だ親切なる馬は、彼の老人よりも僕を愛し、ただこう思った、「やれやれ厄介な物を背負されたことだ。仕方がないそこらを一周歩いて来てやろう。」

桑園を出て並木道にかかると、今まで静かに並足で歩いて居た馬は、早足になってその蹄を鳴らし初めた。僕の身体はヒョイヒョイと上に飛び上がり、恰度、鞍の上で躍って居るかのようである。僕は思った、「他人が馬に乗て居るのを見てもまた騎馬の画を見ても、皆な馬と人とはあたかも一体のようになってその運動が如何にも自由自在らしく見え、甚しきは馬の上で何十貫目[15]の鉄棒を振り廻すなどいう豪傑も居る。それだのに自分の身体は何故こう馬の背に着かないで今にも転げ落ちそうになるのだろう。」と。けれども僕は勇気を奮って手綱を採ったまま馬の走るに任して置いた。馬は船と異って彼自身に感覚があるのだから如何放擲て置いても物に衝突する心配はない。その点は頗る安心なものだ。

並木道が尽ると国道に出る、これを左に廻ると丘を一周して帰ることが出来る、しかしその道程は十七、八丁以上もある。馬は頭を左に転じてこの一周をやろうとした。蓋し彼は数々かく教えられて居たに違いない。

この時僕は如何しようかと思ったというは、十七、八丁の道程が恐いのではなく、国道は並木道と異ってやや人通が多い、車が通る、荷馬車が通る、その間を首尾よく乗りぬくことは僕に取って頗る覚束ない役だと思ったからである。けれども馬は遠慮なくその目的通りに歩みだした。馬に乗られて居る僕は如何することも出来ない。

はや国道を三、四十間[16]も行くと、後から蹄を鳴らして来た騎馬がある。たちまち僕の傍へ来たのを見ると先の少年が裸馬に乗て来たのである。

「どこへゆくのです。」と彼は莞爾笑って問うた。

「どこへゆくのだか知らない。」と僕は答えざるを得なかった。少年は笑って

「これから馬を洗いにゆくのだから貴方も私に従いておいでなさい。」と国道を右に折れて田圃路に馬を進めた。そうすると僕の乗て居る馬はあたかも若主人の言うことを解して居るかのように、先に立ってゆく馬の後を追うてやはり田圃道に下りた。

路が狭いので馬を駢べることが出来ない。少年は後を振り向き振り向き、静に馬を進ませて居る。

「どこへ馬を洗らいにゆくの?」と僕は問うた。

「蛇の池です。」

「蛇の池?」と僕は驚いた。この池は山の麓にあって、周囲は老樹鬱として繁り、蒼々と水を湛えて居るので如何にも物凄そうに見え、少年等も気味を悪がってめったに近づかない所である。

「何時でも蛇の池で馬を洗うのだろうか」

「そうです!」と少年は平気で言い放った。田甫路を十丁もゆくと家数四、五十軒もある小村に達する。その村を横ぎると路が爪先上りになって竹藪の彼方を流れる渓流の音が聞えだした。

間もなく池の潯に出ると、少年はひらり馬から下りたので僕は鞍を捉えてずるずると下りた、というよりか滑り落ちたという方が適当だろう。

池の一辺が遠浅になって居てそこの汀はやや池に突出して居るので成程馬を洗うとは恰度可い場所だと僕も思った。

池を挟んで居る両方の山は嶮峻にして見上ぐるまでに高く、西岸は山の影で暗いけれど東岸は西に傾むいた秋の日を受けて明るく輝やいて居る。風のない日であるから一碧鏡のような湖面は山の影森の影を倒に映し、湖心最も寂なる辺には白雲の影をさえ沈めて居る。

少年は裸馬を率て膝のあたりまで水の届く所に出て、馬を洗い初めた。僕は岸からこれを眺めて居る。僕の乗て来た馬は楊に繫がれたまま草を食って居る。

馬と少年を中心にして波紋が脈々と起りそれに日の光が映って如何にも奇麗であった。

「この馬も洗うのか。」と僕は大声で問うたその声を山彦が答えて湖面に響きわたった。

少年は頭を挙げて僕を見て、優い笑味を満面に漲ぎらして、首を左右に振った。僕はその後、何時までもこの時のことを忘れない。今でも眼の先に直ぐこの時の光景を浮べることが出来る。僕の眼の底にはこれらの光景が画を見るよりも鮮かにのこって居るのである。

暫時くして我少年は馬を洗い了り、岸にのぼって来た。

「何故此方の馬は洗わないのだ?」

「鞍を置いて来たから」と少年は答え、「帰りは二人がこの馬に乗って裸馬の方は率て帰るのだ。」と言いつつ彼は少時休息すべく草の上に足を投出した。僕もその傍に坐り
「僕でも乗れるようになれるだろうか。」

「なれますとも。直ぐ乗れるようになる。」

「君は幾年だ?」

「十五。」

「十五なら僕も同じだ。これから毎日乗りにゆくから教えて呉たまえ」というや少年

は少し顔を赤らめて

「私は出来ないから父上に教えてお貰いなさい。父上は上手だから。」

「父上は馬の先生かえ。」

「先生だ。昔は殿様に馬を教えたのだそうだ。」と少年は答えて得意の色を示すべく禁じ得なかった。

これを聞いて僕も少年ながらに、やや彼の身の上が読めて来て、急に尊敬の意が加わり、初から気に入たこの少年が今更親しくなって何時しか仲の好い以前からの朋友のような気になって了った。

「これから毎日遊びにゆくよ」

「ああ来たまえ、学校へもどこへも行かないのだから毎日宅に居るから。」と彼も既に僕を朋友達扱いにして親しく話すのである。

「何故学校に行かないの？」と僕は無遠慮に問うた。

「父上がやって呉れないのだ」と少年は真面目に言って「もう帰りましょう！」と立った。

僕を前に、鞍の上に乗せて少年は後に乗り、裸馬の手綱を採って、これを牽き、池の辺を出立って帰路に就いた。少年は後から巧に馬を御し、馬は心地よく走って田圃路を過ぎ、国道に出で、国道から並木道に入ると、短い秋の日は既に暮近く、空気は水の如く澄み、並木の小枝を蒼空に透して仰げば、星影の一ツ二ツも枯葉の間から覗かれそうな頃となった。少年は口笛を吹く、二頭の馬は蹄の音を揃えて走る、僕は何とも知れず、ただ嬉しくて堪らなかった。

この日から僕はほとんど毎日のようにこの少年の許に出かけて、二人して馬の頭を並べ、並木道を走らし、丘を一周し、時には蛇の池に馬を洗いにゆくなどこれまでにない面白い日を送り得ることとなったのである。

聞き得たる処に依ると少年の父は糸井専造といい以前は藩の馬術の指南役で知行[17]百五十石[18]を領し、随分立派に暮して居たのだが、維新後の零落甚だしく遂に今の有様となり果たという事だ。専造の零落は時勢の罪ばかりでなく、その大部分は彼自身の性癖に由れることは、僕も彼に近づくにつれて人の噂を確めたのである。

彼は馬術の外、何の技倆もないほとんど無学文盲な人物であるばかりか、頗る片意地で頑固で、少も世の成行を見て身の計を立るということを為ない。そればかりならまだ可いが、それが昂じて世の成行を咀いかつ力て逆行しようとのみ為て居たのである。

貧苦の中の「かし馬」は生業の為ばかりでなく、一は専造その人の性癖も満足せしめる為であったという証拠は、中学校の生徒、巡査、市の若い者などが馬を借りに、彼の許にゆくと、彼は自分の弟子でも来たかのようにこれを扱らい、馬の乗様が如何だとか、こうだとか、小言の千百を並べた末が頭ごなしに怒鳴りつけることも度々あるので、気の弱いものか、気の短いものは一度で懲て行かなくなる、それを彼はかえって得意らしく、今の奴等にはとても馬は乗れないと力味のを見ても解る。

　専造はそれでも可いが気の毒なのは子息の国之助である。父は彼を尋常小学校[19]までやって退校して了い、乗馬術だけ十分に仕こめば祖先に対して申訳は立つと、自分の無学を悔いずしてかえって愛児までを無学に終らしめようとして居るのである。

　僕は国之助を知ってから、その事情を知るにつれて少年心にも同情に堪えず、色々の本を貸して読ますようにして居たが、彼は渇けるものの水を求めるが如く、一書を読み了ればまた一書と、僕の貸し得るだけの本は三、四ケ月の間に大概読んでしまった。彼が最も愛読したのは、ロビンソン漂流記[20]の和訳と、ジュールベルヌの海底旅行[21]の和訳、在来の本では源平盛衰記[22]三国誌[23]等であった。

　僕は彼に知識の泉を貸したばかりでなく、実に少年に取って更に大なるもの、即ち空想の翼を貸した。

　彼と二人で馬首を並べ田甫路を歩みながらの物語は一として将来の空想でないことはなくなった。彼はある時

「馬乗りになるよりか船乗りになるほうが如何に愉快か知れない。馬に乗て五大洲を横行することは出来ないが船に乗れば地球を一周することが出来る」と言って、「僕は如何しても船乗になるのだ。」と力味だ。

翌年の正月の末と記憶する、夜の八時頃僕は学友の宅に遊びに行ってその帰りがけ、例の並木道を一人で通りかかると、糸井国之助にひょっくり出遇った。彼は何時もの快活なるに反し、屈托した顔つきをして居るから如何したのだと聴くと、

「今父上と喧嘩したのだ」という。

「如何して!」僕は驚いて訊た。

「僕は断然と僕の目的を話して父の賛成を求めたのだ、今から五、六年東京へやって呉れろと頼んで見た。処が父は非常に怒って、船乗になって何になるのだ、貴様は武士の子だ、武士の子が船頭になるなんて見下果た了見だと怒鳴つけた、僕は父の言い草が余り乱暴だから二言三言争うと、如何したことか父は泣きだして、子息にまで馬鹿にせられるようになったとは情ない、貴様のような奴は最早力にしようとは思わないから、出てゆくならどこへでも勝手に出てゆけ、そのかわり生涯帰って来て呉れるなと言いだしたのだ。母も傍で泣くし、僕もとうとう泣て父に謝罪ったが、考えて見ると僕ほど不幸なものはないよ……」と言いさして国之助は愁然と頭を垂れた。

「そして君は今何所へゆくのだ。」

「何処へゆく積りもない、ただ余り屈託したから外へ飛び出したのだ。」

「そんならこれから僕の宅に来たまえ」と彼を誘うて帰えり言葉を尽して慰めてやった。

実に彼は不幸な少年であった。彼の兄は幼にしてこの世を去り、彼の力とする人は父ばかり、その父は世間並はずれた頑固者、しかも彼の胸底には燃ゆるばかりの志が潜んで居る。彼はそれを圧えて父の許に、朝夕ただ馬の背に乗って居なければならないとは！

彼の心を知るものは僕一人であるから彼は僕に親しみ、僕を力とし、三日も僕が彼を訪わなければ必ず彼は僕を訪ねて来た。

けれども運命は何時までも僕等二人を狭い町に置いて互に往来することを許さなくなった。十六の春の末、僕は叔父に招かれて東京に留学することとなり愈々出立という四、五日前に僕はこの事を国之助に話した。

国之助の驚愕は実に意想外であった。初は信じなかったが、遂に事実なることを知るや彼は顔色を変えて黙って了った。

出立の前日、僕の父は愛児の門出を祝すべく学友などを招いて心ばかりの饗宴を開いたが、その時僕は国之助をも招いたけれど彼は来なかった。

その夜、彼から一通の手紙が来て、その文言の意味は「君もし東京に去らば僕は最早、誰友も何もなくなって了う。明日から誰と馬を駢べて乗ろう、誰とこの志を語ろう、誰が僕の志を憐れんで慰めて呉れる、誰れが僕を励まして呉れる、しかし今更これを言うのは愚痴だ、僕は僕に志を立さして呉れた君の恩を忘れない、そしてこの志は必ず貫いて見せる。君もまた何時までも僕を忘れて呉れるな」というだけであるが、僕はこれを読んで一人泣いたのである。

翌日は朝早く父と共に宅を立った。母や、弟や、学友や、親戚の者は峠の中の茶屋まで見送って呉れた。僕の故郷からその頃港まで出るには五里の道を人車で走なければならない。父は港まで僕を送るべくやはり車に乗って峠を越されたのである。僕は立つ前に国之助に会いたく思ったけれど、多分見送って呉れるだろうと思った彼の姿が中の茶屋で見なかったので、頗る失望したのである。不思議に感じつつ峠の絶頂の茶屋まで来ると、馬に乗って坂を見下して居る一人の少年が彼であった。彼は莞爾笑って馬を近づけ

「早かったねえ」とただ一言。

人車の進むにつれて馬も進む、彼は馬を人車に並べて走らす。馬上の人、車上の人、

語らんとして語ることが出来ない。

「最早可いから帰って呉れたまえ。」

「何に、もすこし」と彼は低く答えて静に駈ける。坂を下って更に半里、馬と車は相並で走った。

「真実に最早可いよ。」

「もすこし」

「如何かして君も上京するようにしたまえ」

「そうなると僕も嬉しいけれど……」

そのまま二人は無言。野は菜種の花が咲き乱れて居る。大空は霞み、雲雀は高く啼いて居る。どこを眺めても佳い景色である。

小川に渡した石橋まで来ると、彼は突然馬をとどめて、「左様なら！　ここで別れる！」と言い放ったその眼元には涙が一ぱい含まれて居た。

車が二、三丁行き過ぎた時、僕は後を振り向いて見ると、我少年は馬を石橋に立て此方を見送って居た。僕は車の上で熱涙を呑んだ。

東京に着くや僕は、直ぐ手紙を出し、彼からも書状が来たが、それも一度ぎりで、その後は僕から三、四度音信したけれど遂に彼の返事はなかったので僕も何時かそのまま捨置(すておく)こととなった。

僕は十七歳まで東京に居て、それから江田島(えたじま)の海軍兵学校[24]に入り、江田島を出るや軍艦(ふね)に乗り込みそのまま終(つい)に一度も故郷(くに)に帰らなかったから糸井国之助のその後の様子は全く今日が日まで知らなかったのである。僕の父母は僕の江田島に居る時分既に東京に住居(すまい)を移して居たのだ。

ところが彼もまた僕の江田島に居る時分、故郷(くに)を飛び出して長崎に出たとの事である。長崎に出た後、如何(どう)して船員となり、事務長にまでなったのか、彼は十分話さないから解らないが何しろ彼の事だから非常に勉強したに違(ちがい)はない。如何(どう)だ！　珍談だろう！　今日僕が十年ぶりにこの少年と備後丸で、大連湾で、再び出会(でっく)わし、そして二人(ふたり)の馬乗(うまのり)が、二人とも船乗(ふなのり)になって居たということは！

我が海軍士官の物語はここで終った、自分は何心なく「何故(なぜ)、糸井は君の手紙に返事を出さなくなったのだろう。」「ああ、僕もその事を聞いた。すると彼は平気で郵便銭すらその頃はなかったと答えた。」

自分は士官と共に杯(さかずき)をあげて糸井国之助の健康を祝した。

悪　魔

一

「如何な奴？」

「まア、奴なンて。口が悪いのねえ。」

「そんなら如何な先生？」

「私、知ないワ、如何ななンて。」

「だって見たのだろう。」

「先刻御挨拶を仕たの。」

「だから如何な人だか訊くのサ。」

対手の君子は急に真面目な顔をして自分を凝視め、微に吐息をして「大変学者だッてねえ。」

「誰がそう言ッた。自分で言ッたのだろう。」「御自分が何でそんなこと被仰るもんですか。宅の母上がそう言っててよ。」「どうせこんな山の中に住みたいというンだから変物の青瓢簞(1)だろう。」

「武様変物じゃないワねえ」と君子は言い捨てて駈け出したが、五、六歩で立どまり、莞爾笑って「日が暮れたら遊びにお出でなッ。必然！」

「知らないッ！」と自分はそのまま裏山に登って小松原を歩いて居たが、何となく胸がむしゃくしゃする。君子は十八、自分は二十従兄妹同士で仲善で、自分は誰よりも君子が好き、君子も自分が好であったらしいのが、今度、浅海の一家突然、君子の宅の母家を借りて住むこととなり、その総領息子の謙輔、東京に久しく留学して居た青年が帰って来るというので一週間も前から叔母を初め君子姉妹までが噂をして待って居て、それで今日の朝、愈々謙輔が着いたとのこと、君子に遇て見ると嬉しそうに、そわそわして居る。癪に触らざるを得ない。

元来山内家と自分の布浦家とは古くからの親戚で、某町からは十二、三町(2)もあるこの山の中に小さな丘一ツ隔て代々住んで居るので、君子の母は自分の叔母に当り、叔母は五年前にその良人を失い今では君子と豊子と繁という末の男児と四人暮し、母屋は広過るとて閉めて了い、門の傍なる離室三間を常の住居となし、また自分も早く父を失い母と二人淋びしく暮し、下男下女の外は、先ず自分を男の中の大将として両家極て親密なる交際をして来て居たのである。

一月程前に町から人が来て、今度出来た登記所[3]の所長として来られた浅海氏の為に山内の母家を借りたいと思うが、相談して見て呉れまいかとのこと、この中間に立った人は年来の交際ゆえ、自分の母も早速承知して山内の叔母にこの意を伝えてなお色々相談した結果が、登記所の所長様と言えば田舎では一個の立派な紳士、それが借りたいとあれば無下に否むもお可笑なもの、またこの淋い山の中に一家でも殖えれば、女ばかりの世界が大に心強くなるという利益もあり、兎も角も貸した方が可かろうということに定って、その旨を先方に答えたのである。

浅海氏は喜んで町の仮住居から移転ッて来たが、家族は三人である。主人の所長殿は年齢頃五十二、三、背の高い色の浅黒い、頭髪半ば白き立派な人物、妻は四十六、七で叔母よりか少しの年長者、夫婦ともに見たところ気だての優い、快活な、交際に慣れた人々らしく、十二歳の女の子を一人連れたので我々の一族はまたもや二人の女子を得て、どこまでも女人国の体を失わないけれど、なおかつ五十以上の堂々たる一男子を得たことは叔母達の大に意を強うしたところであった。

寂寞たる山林の生活がこの後から少なからず賑うて来て、見聞の狭い叔母達から見ると、役人生活に慣れて所々を渡り歩いて来た浅海一家の人の物語や生活法は少からず興味を惹き、好奇心を満足せしめ、また尊重の念をさえ起さしめたのである。

そして二週間も経つと、婦人連に取りては更に一の興味ある問題が出来たというのは、謙輔が遠からず帰宅するとの事実が知れたのである。

謙輔年齢は二十三、その注文には一、二年田舎に居て静に読書したい、ついて住宅は町を避け出来るだけ閑静な所にして貰いたいとのこと、浅海氏が登記所に通う路の遠くかつ難儀なるをも辞せないで、山内の母屋を喜こんだのはこの理由であったのである。

謙輔が着く三日前の晩、自分が叔母の宅へ遊びにゆくと、叔母は自分と君子に向い、「浅海の奥様が今日謙輔様の写真を見せたが威のある立派な方だよ。宅でも君が男であって呉れると私も大変力になるけれど、繁じゃアまだまだ先が長うて、あんな立派な息子になるのはちょっ、、、くらのことじゃない。私は今日写真を見て真実に羨ましかった。」

「そう、そんなに立派な方?」と君子は頭をかしげて、裁縫の手を止めて問うた。

「あア」と軽く応じて叔母は「お前もこれからすこし気をつけないと可けないよ。田舎娘で行儀も作法も知らないと思われないように仕なければ。」

「そうですねえ。」と君子は至極感心したらしい。

「だって田舎娘が急に東京者になれもすまいじゃあないか」と自分がつい口を入れる

と、叔母は「けれども田舎娘には田舎娘で相当の教育をして来たのだから笑れるようなことを仕ては君ばかりじゃアない、私まで卑下れるからねえ。」

「真実にそうだわ。」と君子は頗る真面目である。

「何に関わん、僕は暴れて見せてやるのだ。」「真実に武様は変物だよ。」と君子は今更らしく眼を見張った。

「そうよ、変物のところを見せてやるのだ。」「馬鹿をいうもんじゃアないよ、お前なぞも謙輔様が来られたら色々教えて貰う方が可い」と叔母は大真面目。

「何をサ。」「何かにつけてサ。」「僕は鮒釣と狸狩を教えてやらア。」

叔母も君子も機嫌が可くないので自分は直ぐ外に飛び出したが、この時から既に自分は浅海謙輔が我等の仲間に加わることを何となく歓迎しては居なかったのである。

それで今、君子に別れて小松原を歩いて居ても、何時ものように面白うないばかりか、口惜いような、情けないような気がして堪なかった。

二

成程自分は変物に違いない。自分は小供の時分から他の腕白仲間と一緒に遊ぶことは余り好なかった。なるべく単独で悪戯が為たかった。ただその中に君子にだけは心置きなく遊ぶことが出来、君子は自分の従妹であるばかりか、時には姉のような心持もして、長ずるに従い、益々君子と親み、その姿を二、三日見ないと、如何も物足ず感じて淋しさを覚えたものである。

それで君子は自分のことを変物だと常も称て居たが、自分は君子にそう言われることは別に不快な感も起らなかったのである。

ところが、浅海謙輔のことで、今度、君子から変物と言われたことだけは、今更のように聞えて、自分は少からず不快の念を醸したのである。

「変物なら如何したい！」自分は反抗して見たくなった。

「どうせ僕は変物だよ。なお変物になって見せるぞ。」と一念の発作を禁じ得なかった。既にこういう風だから自分は、浅海謙輔に近づく気は毛頭もないばかりか、なるべくその機会を避けるようにして居たのである。

であるから君子が遊びに来いと言ったけれど、必定謙輔も同席だろうと、行かないでその夕は宅にしッヽ込んで居たが、我儘者の癖にして、こうなると益々気色が悪くなるばかり、遂には何故君子が呼びに寄さないだろう、とまで思い、独りで焦心て居た。

夜の九時頃まで読みもせぬ本を机の上に、洋燈の心を出して見たり引込めて見たりして居たが、ふと頭を上げて見ると窓の障子に月影が射して居るので、そのまま外に飛び出した。

夏の末、秋の初の夜の冴え渡り、半円の月清く澄みて下界はしっとりと露けく静かに、山も林も黒い影に淡靄の白き光を浴びて浮んで居る。

丘の背を辿って山内の裏山まで来て、小供の時から君子等と筵を布いて遊んだ平地へ出るとここからは北向の村を見渡すことが出来る。村は何処、林は何処、ただ見る、月の光は、あらゆる直線を和げ、あらゆる色彩を融き、我世をさながら夢の世に変て居るのである。自分は岩陰に佇立んで居た。

暫くすると何者か自分と同く上って来た人の気勢、静に控え、呼吸を凝らして居ると、その者は自分の傍らの岩に腰をかけた。隔つこと十歩、されど岩陰は自分を隠くして居る。

彼も動かず、我も動かず、かくて幾分を過ぎた。この時、寂として音なく、ただ何処にか虫の音の微かに、遠く聞えるばかり。

たちまち物言う声！　自分は悚然として閉息した。言葉は厳かに、音は澄て「天に在ます神、慈愛の神様……万有を統給う神よ、塵深き都を去ってこの静なる山の上に立ち、心置きなく祈禱を捧げ得ることを感謝します。信仰薄く、常に地の煩悶に苦しむ我を憐れみ給え。この清き村、この静なる山、この美わしき自然の懐に導き給いしを感謝します……。」

声は慄え、嗚咽泣く音を交えて「されど神様、されど、されど……かく祈りつつ我心は何故に真実に覚醒むる能わざる乎、神様、この天地を統給う神様、限りなき時と限りなき空間、思えば不思議にして驚く可きこの世界にこの生を寄せながらも、我心は何故に常に平然として月に泣き花に笑うの情と親を慕い恋を楽むの心とにのみその安和を得て満足するか。神よ、神よ、不思議と知りつつも不思議を感ずる能わざる人の心は初より神の定め給いし約束なるか。……しからば何故に神は、我心にこの遂げ難き希望を置き玉いしか……何故に我心を更に暗くかつ鈍く作り玉わざりしか……獣にも等しく生存を希う欲望を与えながら、しかもかつ天を仰いでその限りなきを見、この生命の泡沫の如きを思い得るの心を人には授け給いしぞ……嗚呼神よ、我苦悶の声を憐れみ給え……。」

声は止み、泣く音のみ微かに聞えて、やや少時。少時は泣く音も絶えて幾分かを過ぎたが、やがて彼はそこを去って元と来し途へ引返えし、その足音も聞えなくなった。

何者ぞ？　言うまでもなく浅海謙輔！　自分は直ぐ山を下りて叔母の離室を訪うた。君子は「何故早く来ないの？」「ただ来なかったのサ。」と言えど、自分は山に得し不安と不審の胸なお静らず「今山に上って月を見て来た。」「そう？　先刻まで謙輔様が来て居て東京の話をして聞したのに。」「如何な先生だい？」

「優そうな人よ、」と君子は母を顧て「ねえ母上。」「そうさ、そしてどこか人ずれの仕ない内気な所があって真実に私は気に入っちゃッた」と叔母。

「明日武様のところへも挨拶に行くと被仰っててよ」と君子は「そして武様の事を話たの。」「何と言って？」

「年齢は十九だが腕白者だから何分願いますと私が頼んで置た。」と叔母。

「そして変物だって私が言ってやった。」と君子は笑って自分の顔を覗込んだ。

けれども自分は山に得た不審の心安らず、君子に反抗の気も乗り兼て可笑くもない、腹も立ぬ。黙言って居ると、君子は言訳らしく「けれども私武様を誉めて置いてよ。」「何と言って？」「変物だけれど感心に書物が好で英語が上手だって。可いでしょうそれなら。」「馬鹿言ってらア」と自分は苦笑したばかり。

「どこで英語を習ったのだッて訊いてよ。木実様という人に教ったのだと言ったら、木実という人は何だと聞くから耶蘇だって言ったの。」「そしたら何と言って？」「今その人はどこに居るかと聞くから、先達まで町に居て教会堂の牧師でしたが今は何処へか転任して居ませんと言ったの。そしたらね、武様耶蘇信者かッて訊いてよ。」「信者だッて言ったの？」「否え、初は耶蘇らしかったけれど今は何でもないッて。」「そしたら何と言って？」「ただ黙って居てよ。そしてね私に耶蘇の説教を聞たことがあるかと訊くから、武様が曩日山で木実様の声色だって説教の真似事をしたのを聞ましただけだと言ったの。笑って居らしってよ。」「余計なことを言ってらア。」と自分は言って帰ろうとすると叔母は早口に「耶蘇かも知れないよ謙輔様も。」「そうかも知れない。」と自分は起った。君子も起って「耶蘇だって可いワ。」「大嫌いだッて言ッてた癖に。」「それは以前のことだワ。」

三

実に自分は木実先生に英語を学びまた耶蘇教の説教をも聞かされた。けれども自分は英語だけ学んで宗旨の方は如何しても気乗がしなかったのである。

英語のバイブルは読み習うたが、バイブルの教は自分は如何しても受取れなかったのである。また自分はその教を求める気も全然無かったから、木実先生は自分を愛して呉れる一方で、はなはだ失望して居たらしかった。転任して町を立つ前の晩、久く無沙汰して居た自分を使者を以てわざわざ招び寄せ、自分をただ一人会堂の隅に坐らして「天に在(まし)ます父よ、何卒(どう)かこの青年(わかもの)を救い玉(たも)うて無窮(かぎりな)き生命(いのち)の泉を汲ましめ給え……」云々(しかじか)と熱心に祈られたその時、自分はただ真面目に先生の親切を感じたばかりで、宗旨の上には少(すこし)も心を動かさなかったのである。

けれども計らず浅海謙輔の祈禱(いのり)を窃聴(ぬすみぎ)きした時は言うべからざる者を感じて自分が浅海に対する反抗の念をすら幾分、曖昧(あいまい)にして了(しま)った。

翌日の朝、謙輔は自分の宅を訪うて来た、母も自分も出て挨拶した。見ると背のすらりとした色の白い、思ったよりは若々しい青年(わかもの)で。自分達に物言う声音(こわね)には一種の愛嬌ありて敵をも和(やわら)げそうな力あり、その眼は輝きて鋭く、急速(せわし)く左右を顧眄(こべん)[4]するところ、彼が不穏の心を示して居た。

その誘(いざな)うに任して相伴(あいとも)うて野に出た。露は旭(あさひ)にきらめき、遥けき野末の村よりは烟(けぶり)が上(のぼ)って居る、この村は海浜に沿うて塩田(しおだ)あり、烟(けぶり)は塩竈(しおがま)より立上(たちのぼ)るのである。

「貴様(あなた)は朝晩散歩を為(なさ)いますか。」と彼は自分を顧(かえりみ)て問うた。

「散歩と言って規則立ったことは為(し)ませんが、野山を馳(か)け廻(まわ)ることは何より好きですから始終行(や)って居(い)ます。」「お一人で?」「そうです、僕には友達が別にありませんから。」「これから僕と一緒に歩きましょう。」

「何卒(どうか)願います。」「この辺(へん)には佳(よ)い景色の所が沢山に有るでしょう。」「別に佳(よ)いという所も有りません、大概こんなものです、海浜に出れば幾分か変って居ますが……。」

それより二人は丘に上り村を過りなどして、一時間ばかりも歩いた、その間、自分には見慣れて珍らしとも思わぬ村落樹林の景も謙輔には余程気に入ったらしかった。

「貴様には面白くもないでしょう、こんな景色は？」と問うたから自分は有体に「何でもありません。」「そうでしょう。珍らしいから美くしいと思うのは景色ばかりでなく、何事もそうでしょう。私もその中には貴様のようにこの景色が何でもないようになる時が必然来るのです。」と彼は理由ありげに言うので、自分は「当然のことで別に不思議はないでしょう。」「そうです。当然のことです、けれども私はその当然がはなはだ気に喰わないのです。」「何故です。当然のことは当然のことでしょう。」「そうです。人の心がそう作られ居るといえばそれまでです……しかし……。」

謙輔は黙って了った。自分はそッと彼の顔を覗くと、彼の眼は凄く光り、彼の唇は堅く閉じて居る、端なく自分は彼の前夜の祈禱の言葉を想い起した。

「貴様は耶蘇教をお聴になったことが有るそうですね。」と突然問われて「有りますけれど今は……」「今はお止になりましたか。」「初から信者ではありません、ただ聴たばかりです。」「では貴様は神様は無いものと思うのですか。」「あるか無いか、そんなことは思ったことも無いのです。有るものでしょうか。」自分の語気にはやや冷嘲を帯て居た。

謙輔は静に「有るかも知れません、無いかも知れません。」「だって貴様は神に祈ったではないか。」と言いたかった、けれど流石に口には出し得ず、ただ彼の顔を打まもった。

「牧師は何と貴様に教えました？」と問いかけたので「有ると教えました。」「ただ有ると？」「そうです、有ると教えてその理由を色々話して聴しました。けれども私は……」言いかけると彼は直ちに、

「その理由が解ないというのでしょう。」「そうです。私には理由が解らないのです。けれども研究も仕ませんでした。」「研究！　研究！　私も研究は大嫌いです。神の有無を研究するのは……幽霊の有無を研究するのも同じことです。」と言って謙輔は冷かに笑った。

「幽霊も神様も同じようなものですかナ。」「兄弟分でしょう！……ああ佳い風景だ！」と彼は突然足を止めたので気がつくと、近郊遠村を見渡し得る丘の背に我々は立って居たのである。

「そら、彼所に見えるのがここの教会堂です」と自分は町端に立て居るペンキ塗の家を指した。謙輔はただ首肯いたばかり。村の少女が二人、松葉掻の籠を背負て傍の径を

過ゆく、その一人が自分に会釈したのを自分は呼び止めて「オイお鶴、お鶴！　先生に今晩出かけると言って呉れ。」「先生とは誰です」と謙輔は訊た。自分は笑って「お鶴の兄です。叔母の家の小作を仕て居ますが、浄瑠璃(5)の名人で、面白い男です、変物扱に村の者は仕て居ますが私は好だから時々遊びに行ってやるのです。」「貴様も浄瑠璃を行るのですか。」「彼奴が勝手に先生になって無理に私を弟子に仕て居ますから少ずつ行って居ます。讃美歌よりか浄瑠璃の方が面白いようですなア。」

謙輔は思わず声を放って笑い「そうかも知れません、先生も耶蘇教の先生よりか可いかも知れない！」「しかし木実先生は全く好い人でした、この前の会堂の先生は。」「好人物必ずしも真実の伝道者ではないようです。」

二人は暫時く黙したままで立て居ると、松原の彼方で先の少女の唄う声が聞える。謙輔は「一度私も浄瑠璃の先生の所へ連れて行きませんか。」「何時でも御一緒に参りましよう。」

以上の如くして自分は浅海謙輔と相知ったのである。

四

謙輔の言葉の節々、自分は頗る不審に思ったのである。彼は果て耶蘇教信者であろうか。自分に取っては彼が耶蘇であろうと無かろうと、何であろうと別に関係もないことで、気に留めるほどのことで無い筈が、実際はそうでなく、今までは、教会に出入してすら何にも感じなかった自分が、不思議にも痛く彼の挙動に動かされたのである。浅海謙輔は果して耶蘇教徒であろうか。神に祈りたる、その熱心な言葉を思うと正しく信者らしく、しかも彼は「神は有るかも知れず、無いかも知れない」などいう曖昧なことを言って居る。

のみならず、讃美歌より浄瑠璃の方が面白いと自分の言った言葉を奇怪とは思わず、かえって大笑したではないか。

彼もまた一個の変物であるまいか。

自分には謙輔の人物が不審であったのである。

五

謙輔に初めて会た日から三日目、郷里から二十里隔たって居る某町に住で居る叔父の宅から自分を招く手紙が来た。本年は珍らしい大競馬があるから是非に来いと祭の案内状。自分は余り進まなかったが、母が強るので終に出立した。

三、四日滞留の積が一週間になり十日になり、更に叔父一家の者と讃岐琴平詣(6)を為なければならぬこととなり、たちまち一月足ず過ぎて漸く宅に帰ることが出来た。

宅に着たのは夜の七時頃である。母と差向い夕飯を済すや土産物を持て叔母の家を訪うべく外に出ると、夕月の影冴えて、恰度、浅海謙輔が初てここへ来た頃の夜の様と同である。月は一月進み、秋は半となり、露重く虫の音繁く、引く呼吸のやや冷きを覚ゆるまでになっただけである。

叔母と外の子供達は居たが君子の姿が見えない。

「お君さんは？」と問うた自分の語気には我知らざる不安と不足の音を帯びて居たのである。

「謙様の宅よ、姉さんは」と豊子が何気なく答えた。

「呼でおいでよ」と叔母が言うかと思ったら黙って居る。自分は旅行中の事どもを話して居たが何となく心が落着ない。それとも叔母は気の着く道理もなし、色々と訊いて居たが自分の答弁に気の乗ないのを見て「疲れて居るだろうから早く帰ってお寝み、謙様もお前の帰を待て居なさったから明日は朝から遊びに来るが可い」と言ったが君子のことは何とも言わない。

外に出たが直ぐ宅に帰る気にならず。仰いで大空を望めば星の一個、今更の如く眼に映る。自分は今更という、何故なれば、これまで幾百千度、空を仰いで星影を見たが、この時ほど我心にその清くして澄たる、意味ありげなる趣を印したことはないからである。今までに感じたことのない、うら悲しい懐がして、涙さえ誘うばかりになった。

今から思うと、自分はその頃、君子を恋いして居たことが解るのである。何故自分は謙輔を叔母や君子等の如くに歓迎することが出来なかったか、何故自分は、君子が謙輔に近いたことを知ると共に、我知らず深い哀みを感じたか。この悲哀は恋の果敢さの悲哀ではないか。

けれども自分は当時、明かに自分の恋を認ためては居なかったのである。ただそれ、物足らぬ思い、言い知らぬ哀を催おしたばかりに過ぎない。

家には帰らないで自分の足は知らず知らず裏山の松原に向た。径は幾重にも迂回して緩かに、樹間より洩る月影を踏で頂に到り、先の夜、謙輔が神に熱禱した岩陰まで出て、暫く佇立んで居ると、人の話声が近いて来る。

自分の今来た路を登って来る人は山内の者か自分の宅の人ならでは無し、何者かと気をつけて待って居ると、一人は謙輔の声、一人は君子の声！

自分は直ぐ身を木蔭に隠して了った。彼等の様子を覗がうこと、その物語を窃聴きすること、これ善きこと悪しきことなど思いあきらむるの心さえ起らず。

暗き影の中より二人の黒き姿が現われた。透し見る、二人は肩の磨れ合うまでに身を寄り添えて歩るく、一歩は一歩より遅く、たちまち二個の姿一個に合いし如くに自分には見えたが、また二個に分れて頂きの平地に並んで立に及び、二人は月に向い暫く無言の体。

「だって田舎よりか如何しても東京の方が可いでしょう。」という君子の声。

「そうです、都会に住む人は悪魔になり、田舎の者は悉く善人だという訳は決してないけれど、私のような人間には如何しても田舎の方が可いようです。近いところが都会に居てはこんな山もなければ、こんな見晴らしもありません。全くないではないが、田舎に住んで心閑かに眺めると、都会に居て名利競争の暇に賞美するのとは全然精神が違うようです。」「そうですかねえ。」「しかし理窟を言えば何でも議論は出来ますが、私は理窟は如何でも可いので、ただ田舎が好き、それで文句はないのです。ただ思います、田舎の好きな人は都会の好きな人よりか幸福だと、そう思います……どうせ人は皆な死んで了うのですからねえ……」「でも尾間さんは先の世が在ると仰しゃいましたよ。」「尾間君なぞに何が解るものですか。」「マアあんなことを！」「真実ですよ、あの人なんか、神様が如何だとか、こうだとか、木で作って衣兜の中に納ってあるように手軽く神様神様といいますがあれは皆な偽の皮ですよ。」「ジャア偽言者でしょうか。」「マア偽言者でしょうなア。」「ジャア未来は無いものでしょうか。」「あるかも知れません、無いかも知れません。」「でも有るッて尾間さんは言いましたよ。」「尾間君などは善人です。」「だって貴様今、(7)偽言者だって仰しゃッたジャアありませんか。」「偽言者の善人は沢山ありますよ、伝道師などは大概そうのようです。」「貴様の仰しゃることは私なぞに寸毫も解りません。」

しかり、窃聴する自分にも解らない。謙輔はかつて自分にも同じようなことを言い、また今、君子に向って語る、その一語、その一句、好んでかくもひねくるのか、そうでもないらしい。怪いかな彼！

「尾間君などは解るように言いますが、あれで自分では何も解って居ないのですよ。」「大変悪く仰しゃいますねえ。」「悪く言う訳じゃない、私は全くそう信ずるのです。もし彼が解って居るのなら、私は狂気です。」と言い放った謙輔の声は甚く激して居た。「そんなことは有りませんワ。」「いいえ、狂気です。けれども私は尾間君の善人よりか自分の狂気の方を選びます。」

君子は黙って了った。頭を垂れて立つ少女、傍に立つ一人は昂然として大空を見渡して居る。

「帰りましょう！」

謙輔は静かに前に立た。君子はその後に。先には並び歩いた二人が、今は前後して、相隔つる二歩三歩、林に入り言葉もなく山を下りて了った。

尾間とは新任の伝道師、彼如何にして二人の題目となったか。自分の居ない間に、わが静なる山家は、更に一人の友を加えたのか。

自分は家に帰えり床に就たが、暫時は眠る能わず、君子とただ二人、長閑かに往来して暮らした彼日、彼時、色々と思い浮べて居ると、丘の麓を声朗かに唄いゆく、声は正しくお鶴の兄、我が浄瑠璃の先生！

六

次の朝君子に会た。君子は奥の三畳でただ一人裁縫を仕て居た。自分を見て「お帰り、大変遅かったのねえ。待って居てよ。」「嘘言ってらア、待ても居ない癖に。」と自分はその傍に坐った。見ると見慣れぬ男の衣服を縫て居る。

「誰の？　それは。」「これ？　謙様の。好い柄でしょう。そうそう言い遅れました。お土産有難う、私大変あの縞が気に入たのよ。」「随分長滞留だッたろう。」「真実に長かったワねえ、私待ち疲れて了ってよ」と言いつつ針を運して居る。その顔を見ると、血の気は失せて、何処となく憔悴て見えるので「如何かしたの？　顔色が悪いよ。」「そう？　如何も仕ませんよ、昨夜何だか能く眠られなかったからでしょう。」と顔を上げ頬に垂れた髪を掻あげてまた下を向いた。

「如何して？　どっか悪いのじゃアないの。」「武様！」と君子は顔を上げ、笑味に恥を帯びて「私、昨夜妙な夢を見てよ。」

「謙輔先生のお嫁になった夢でも見たの？」と自分はツイ口を滑らした。君子はサッと顔を赤らめ「知らないワ！　そんな夢じゃアないワ！」「どんな夢？　それじゃア。」

「死んだ夢なの、死で地獄に陥ちた夢。何だか可畏って可畏って、赤鬼だの青鬼がぞろぞろ居て、火の池に私を突き落して私が這い上ろうとすればまた突落すのよ。」と熱心に語るその眼の中に光あり、睫毛は潤んで居る。「そしてね、」と急に声をひそめ「向を見ると謙様も居るのよ、謙様が大きな声で君さん君さん早く逃ろ、早く逃ろッて言いながら火の中に浮いたり沈んだり為さるの……」「僕は居なかって？　僕は？」

君子は頭を振て歎息をして「妙な夢でしょう。」

「僕が居たら直ぐ君さんを助けてやるんだけれど、謙様なんか弱虫だから駄目だ。」

「地獄なんて、真実に有るものでしょうか」と君子はどこまでも真面目である。

「有るかも知れないよ、耶蘇でも仏教でもそう言うから。」「武様真実に如何思って？」「どっちでも可いと思う。そんなことは如何でも可いじゃアないか。君さんと一緒になら僕は地獄にでも行かア。」「私、否。」「極楽なら？」という自分の問に君子は答えず、急に起上って次の間に出たと思うと「武様、謙様が入ッしゃッてよ……武様も来て居ますから此処へお入りなさいナ。」

七

暫くすると尾間利雄も来た、自分が尾間に会うは初て。君子は馴れ馴れしく言葉を交えて居る。叔母の発案で、今日は小春の上日和、山遊に大勢で押出せというに皆々賛成し、尾間に謙輔、自分に君子、謙輔の妹の春子、それに豊子と繁と同勢七人。叔母は下女下男と共に後から便当を運ぶという手配まで決り、河に沿うた山、俗に赤山と呼ぶ低い平たい、見晴の佳い丘へと繰り出した。

「御酒は先へ持て行ったら？」と出立際に叔母の注意。「酒は持ない方が可いでしょう。」と尾間の牧師。「イヤ持て行こう、少しでも持て往かないと山遊の気が仕ないから」と浅海謙輔の言葉に附いて「賛成、賛成！」と自分は早くも叔母の手から例の一瓢を受取り担いで了った。尾間は見て苦笑した。

「讃美歌を持て行きましょうか」と言ったのは君子、大賛成を表したのは尾間、自分も謙輔も黙って居た。

繁を先登に、これに続く春子豊子、男三人と君子とは後になり先になる。最後の下男の一人が藁筵と毛絨とを担いで続く。

背の一番高いのが浅海謙輔、次が自分で、尾間は君子よりやや高い。尾間は二十六の由なれど小柄ゆえ浅海の方がかえって老けて見える。顔の一番白いのが君子で、次ぎが尾間、自分の顔は分らないが、浅海と同じ黒さであろう。尾間は洋服を着て杖を持て居る、衣嚢[8]を膨らし居るのは聖書か、それとも謙輔の所謂木で作った手軽な神様か。浅海は飛白[9]の羽織に米利堅帽[10]、これは彼の常の衣装らしい。君子は束髪[11]にリボン、その色が桃色、薔薇の花髪挿は見慣れぬ一物、多分浅海か尾間が贈った品らしい。

「繁さん繁さん。そう走っては危ないよ。」と後を追うて駈け出した豊子に従て春子の姿も小藪の曲角に隠れて了った。

角まで来ると「ワッ」と三人。喫驚した顔で飛び上った尾間の様子が剽軽だと君子は相顔を崩して笑う、自分も笑う、謙輔も笑う、笑うや一、心持は異って居たかも知れない。

「尾間様、杖を拝借な」君子は振り向く。

「何に為さる?」「何でも可いから借して頂戴な、」と言われて尾間は大事そうに持て居た杖を渡す。自分達は如何するのかと見て居ると、君子はただそれを携えて行くのである。

麓を廻って一丁[12]ばかり、一軒の農家がある。小犬が吠えて飛び出した。ワッと三人の子供は後へ逃げ廻る、君子は杖を振り廻した。犬は益々吠える。君子は遂に杖を犬に投げつけると、犬は一躍、平気な顔でそれをくわえ後の山へ上って了った。喫驚したのは尾間の牧師である。手早く上着を脱いで草の上に投げ出したトタンに衣兜から飛び出したのが聖書、アワヤ田溝に転げ落ちそうにしてわずかに草の根に止ったのを見向もせず、一目算に犬の後を追駈けた。

浅海は腹を抱えて笑う、その際に自分は聖書を拾って我が懐の奥に隠した。見たものは誰もない。

尾間が杖を取り返えすに十分もかかったろうか、上着を肩にかけたままズボンから真白な手巾を出して汗を拭きながら歩む、聖書のことは気が着かぬらしい。

この一幕が終むと間もなく赤山の麓なる河岸に出た。川幅三、四間[13]、岸には川楊繁る。水は澄み底は小石の数も読るべく、小舟一艘繋いであるのを見て、我年若き伝道師は逸早く飛び乗った。その勢の余り烈しかったので、軽く繋ぎし綱抜けて舟はするすると一間ばかり沖へ。波紋ゆらゆらと起って岸を打つ時、舟は止って流緩るければ流れもせず、後へも先へもその儘尾間は流罪の体となって了った。

小供は手を拍って山へと登りはじめる、浅海もこれに続ぎ、君子と自分は後に残ったが二人の間は四、五間隔たって居たのである。

小舟には水棹なし、尾間は驚ろいたが如何することも出来ない、下男は為に近所の家へ竹棹を借りに走る。自分は岸に立って懐から先の聖書を取出し、故意と素知らぬ顔で繙いて読む真似をすると、尾間は見て、「オヤ驚いた、それは僕のジャアないですか。」と急いで衣兜を捜したが、「不可せん不可せん、それを見ちゃア不可ません、布浦様、武雄さん、真当です、それを見ちゃア不可ません。」と躍起になって叫んだ。

「可いじゃア有りませんか、秘密の本ジャア無いでしょう、先刻貴様が落して御存知ないのを拾って置いたのです。」と自分はただ揶揄う積りで益々聖書をひねくる。

「どうも有難う、しかししかし……、アア困ったなア」とその当惑さ加減は尋常でない。浅海も不審に思って足を止めて見て居る。

皮表紙四六版(14)の聖書、それも手磨のした、流石にその職の人が持て居そうな古ぼけた書、別に不思議はないのである。君子が五歩六歩、自分の傍に近づいた時、表紙の奥に附てある紙挟の間から少し現われて居る紙片に眼が着いた、その文字に。鉛筆で「愛する山の女神、君子の君に栄あれ!!!」

自分はハタと書を閉じた時、君子は傍に来て「何ぞ書いて有るの？　お見せなさいな」「尾間様！」自分は呼びかけて「返しますよ、そら！」と投げた。書は無事に彼の手へ。自分は走って浅海の後を追うた。七人、山に揃うた時、自分の素知らぬ風を見て、君子は勿論、浅海も、また尾間すら文字を見た自分を怪しまなかった。けれども一種、言いがたき不快の念、それは前夜、君子の姿の見えなかった時に感じたそれとは異った、苦々しい、重苦しい思が自分の胸を圧えて山遊も一向に面白くない。けれども顔には少も出さなかった。

一番面白ろそうなのが子供の次ぎには尾間牧師、次には君子、浅海も面白そうであるが、尾間ほどハシャいで居ない。君子はやや浮れ気味で、地獄の夢など消えて跡なき夢物語。天国は近にありそうな様子。

便当が来た、酒を出す、尾間は見向きも仕ない、浅海は二、三杯、自分は五、六杯、後は下男が飲で了った。

松の木蔭に立てば冷しき風吹き、見渡せば野は半ば刈り取られ、広びろと佳き眺めを面白いとも楽いともただ嬉しかったのは以前の山遊、今ははなはだ下らない。君子と尾間は声を合わして讃美歌を歌って居る。浅海は黙って聴て居る、自分は黙って見て居る。小供等は叔母や下男と戯れて居る。尾間のホワイトシャツ(15)は反射し、君子のリボンは翻える。

この日、尾間と初めて相見て、この日より自分は尾間が嫌いになった。そして浅海謙輔・・・・・・・・・・・・・・・・・・・・・輔を何となく慕わしく思いはじめたのは実にこの日からである。

八

山遊の日から五個月経った。この短かい月日の間に如何なことが有ったか自分の口から言うよりか浅海謙輔の筆の方が適切でしかも意味が深いだろう。

春三月、謙輔は飄然として家を出で再び都に去って了ったのである。自分すらその前夜まで知らなかった。朝になって見ると、謙輔が居ない、浅海の父母は、ただ昨夜急に思い立て旅行の途に上ったとのみ、我々に告げた。実は父母すらそれが永久の門出たることを知なかったのである。

けれども謙輔は途中から自分に一冊の随筆を送り来した、自分は何度繰返えして読だろう。

要するに彼は真実の伝道者であったと、自分はここに断言するのである。自分は彼に由て実に新らしき生命を得た。と言うよりかむしろ、彼に依て自分は真実の生命に入る門を開かれたと自分は断言する。

要するに彼は煩悶の児である。自分もまた彼に依て深い煩悶の淵に沈むこととなった。けれども自分はこれを少も悔いないのである。

彼の名は今以て世間に聞えない。恐らく永久に聞えないだろう、けれど初より社会生存を無視したる彼には当然の事で、彼は勿論、自分とても敢て苦にもしないのである。「悪魔」は我山林生活における彼の随筆。かれ自ら題して「悪魔」と書し、自分に送ったのである。

その序文に曰く――武雄君足下、此一冊を君が机下に呈す。これ余が随筆なり、月日なき日記なり、小説なり、演説なり、祈禱なり、呪咀なり、而て実に懺悔なり。過し半年の永かりしことよ！ 此間、余が君の親切に負ふ所如何に多かりしやを思ふ時、この冊子を示して可なる人、君に非ずして遂に誰ぞ。

今日まで、君は忍んで余が苦悶の声を聞き給ひぬ、願くは今一度我ために忍んで此冊子を一読せよ。読み了って火中に投ずるも余に於て憾なし、蔵して永く不幸なる青年が紀念とも見給ば、これ又可なり。或は又これを君子に示し給ふとも其は君が処置に任す。

悪魔よ！　悪魔よ！　生命の秘義に触る可く、僅に一幕を隔つるのみにして而も遂に爾の捻じたる黒影を払ふ能はざるは永久の恨なるかな。斯の如くして余も亦遂に獣の如く死する也。斯の如くして余も亦た遂に泥土に帰する也——。

自分はこれより左に「悪魔」の数節を抜く。

〔一〕

君子と知るを得たり。君子は十八と言へど都会の娘に比れば十六位にしか見えず。其眼は人を魔するの力あり、睫毛長く垂れて常に物を思ふが如きまなざし。挙止活潑なれども温雅の風姿を乱るに至らず、言語明晰にして語音に妙なる響あり、髪は長く黒く房々と耳を覆ふ。教育あるが如し。

豊子は我妹の友なるべし、君子は如何、余が友たるを得るや否や。余は其友たるを望む。

我が山林の生活を彩るに斯る少女あるべしとは思はざりしに。我も少女も共に幸多からんことを祈る。

君子の母は善き人なるが如し。されど君子の容姿の母に肖ざるは、亡き父の血を受けしものか。

〔二〕

月明を踏んで山に登る。月光流水の如く、山も林も野も村も、寂として夢の如し、岩に伏して祈る。

祈る時、我が胸は掻き乱れぬ。この静なる山林の生活を得て、而も我遂に安んずる能はざるか。神を祈れども神を知らざる者は我なるかな。

されど、されど我は「不安」を否まざるなり、我が「不安」はわが霊の生命なり、生命の根なり源なり、我は安くして犬の如く死んより悶きて天界を失落せる悪魔の子の如く生くべし。

空しき言葉なるかな。斯く書しつゝ、我心の焦だちを覚ゆるなり。嗚呼これ何の故ぞや。

〔三〕

幻影あり。

我を導く一個の星あり、我が眼前に淡青色の光を放て進む。我其後を尾して行く。既にして我が住む地球は星の如く小くなれり。空冥(16)杳に他の群星と共に輝やくを見る。而て我眼を翻へして上下左右前後八方を見渡すに、一道の光輝紫色を帯びて天の一方に横ふを見る、思ふにこれ某太陽の光、暗黒裡に入りて其光を失ひしならん。矢の如く走りゆく光あり。頭上に五個の大円球あり。皆な血の色を帯びて浮が如く懸れり。

幻影か、幻影か、余は斯る幻影を追ふことを好む。

〔四〕

布浦武雄は才あり気力ある好青年なるが如し。木実(このみ)某が彼を化して「信者」となさんと試みし努力の無益に帰したるは笑ふべきかな。化して石となし騾馬(ろば)(17)となす、余はこれをアラビヤンナイト(18)に於て見る、化して「信者」となさんと労苦する魔術者を基督(クリスト)の弟子に見るは傷(いたま)しいかな。されど怪(あやし)む勿(なか)れ、彼等弟子と称する輩(やから)もまた化成(かせい)(19)の「信者」にてあるなり。

神を求めよ、されど如何(いかに)して？　神とは此世の神か、果して然(しか)らば貨幣も何の選ぶ処ぞ。

嗚呼(ああ)吾等(われら)が住む此小(ちいさ)き星も亡(ほろぶ)る時あらん、秋の梢より木の葉の落つるが如くして。これ比喩(ひゆ)に非(あら)ずして推測せる自然法(20)なり、事実なり。此事実を感じて其(その)心を動(うごか)すこと、恋を感じて其情も動(うごか)すが如くんば、神を求む、然らずんば死を求む。

我黙(もく)して山上に立つ時、忽然(こつぜん)として我(わが)生存の不思議なるを感ず、此時に於て「歴史」なく「将来」なし、たゞ見る、我が生命其者(そのもの)の此不思議なる宇宙に現存することを。あゝこれ天地生存の感にあらずや。かゝる時、口言ふ能はず、たゞ奇異にして恐ろしき感、わが霊を震動(しんどう)せしむ。思ふ基督(クリスト)が四十日間、荒野に於て嘗(な)め尽(つく)したるもの(21)は此痛感にあらざるか。

〔五〕

山を下れば社会あり。食物あり、衣服あり、住宅あり、父母あり、隣人(となり)あり、こゝに交際あり、名誉あり、恥辱あり、而して哀(かなし)き人情あり。過去に歴史あり、幻(まぼろし)の如く我等(われら)を追ひ、将来(ゆくすえ)に希望(のぞみ)あり、蜃気楼(しんきろう)の如く前程(ぜんてい)に浮ぶ。こゝに文学あり、美術あり、政治あり、しかして此処(ここ)に宗教ありて神を説く。或は無常を説く。要するに紛々(ふんぷん)として我等を繞(めぐ)る者、我等が肉となり情となり、生命となり、而して首尾よく社会生存の実を挙ぐ。

社会生存とは何ぞや、余の術語なり。億万の人、其(その)生存を自覚せりと云ふ、そは社会に於ける生存のみ。

山を下れば社会あり。天地生存を自覚せる余も、社会に入ること分秒、忽然(こつぜん)として社会の一員となり了(りょう)しぬ。而も遂に我霊を震動したる痛烈なる感想を忘る、能(あた)はざるが故に苦悩する余は悲惨なるかな。

〔六〕

君子と共に野を散歩す。岡に上(のぼ)り、林に入りて坐す。鮮(あざやか)なる秋の日影、樹間(このま)より洩れて君子が肩に点々たり。二人は語りて時の移るを知らざりき。妙(たえ)なる香気ありて君子が身を包むが如く覚えぬ。この少時、われは世を忘れ、天地を忘れ、我をすら忘れたる、これ何故ぞや。

斯くて又た少時、われ卒然眼を転じて四辺を視たり、ああ何の力ぞ、我は此刹那に於て君子を忘れ、一切を没了して、ただ夫れ天地悠々、我が生の此無窮なる空間に繋がれるを感じ、堪へ難き哀愁泉の如く湧きぬ。

〔七〕

町なる教会に行く。小さき建物なれども尚ほ百人を容るには余りあるべし。信者の集会三十名ばかり。都会の教会とは異り年若き男女は数名に過ぎず、多くは中年以上の人々にて、小児も加れり。

伝道師なる尾間利雄と語る。快活多弁、愉快なる人物なり。彼は我家をも訪ふべく約しぬ。

神よ、願くは我をも謙遜なる信者の中に加へ給へ。我が苦悩を柔らげ給へ。あゝ在さざるところなき神よ、無窮を統べ給ふ神よ、常に此生の泡沫の如きを感じて、容易く永久の生命を信ずる能はざる我をも憐れみ給へ。人類ありて以来、幾千億万の我々が祖先今何処にありや、あゝ神よ、時の不思議なる謎を示し給へ。

丘の麓に民家ありて其屋根よりは青烟の立登るを見る、其裏には父あり母あり妻子あり、彼等は朝な朝な起き出て野に耕し夕は団居[22]して談笑す、屋後に墓地ありて月明の底に眠れり。あゝ神よこれ我には大なる謎なるかな、哀しき謎なるかな。あゝ神よ、我も亦た彼等と共に人情哀楽の泉を汲で此生を安んず可き乎。

〔八〕

尾間利雄来る、談論す。君子傍らに在りて聴く。尾間曰く、君は愛を疑はざる可し。既に愛を疑はずんば神の愛、基督の愛を信ずるに於て異存のあるべき筈なしと論鋒[23]頗る鋭利なり。我一々うなづきぬ。尾間は転じて君子に向ひ、諄々として天に在す父の愛を説き、永生を説き、人の罪を説きたり。更に天国を説き地獄を説きぬ。而して曰く永遠の亡、これ地獄なりと。君子の心動きたりと覚し。

われは明言す、斯る伝道は「虚偽」なりと。あゝ天とは何ぞや、命とは何ぞや、亡とは何ぞや。

形容詞を止めよ、説教を止めよ、自己を宇宙の外に置き、神と人と其処に並べて鉱物の見本を説明するが如くに宗教を説く勿れ。理学士も熱心に語るなり。爾の熱心を誇る勿れ。真面目を誇る勿れ、真面目という心持は大して価値あるものに非るなり。心的現象の一に過ぎず、人は木片をも大真面目に信ずるもの也。

神の有無を言ふ勿れ。「人」なる言葉を止めよ、爾先づ生物の一個として面と面、直ちに此無窮なる宇宙に対し、爾の生命其者の存在を直感せよ。

されど之れも亦た余が説教にあらざるか。

〔九〕

人は世間から生れ出て世間の中に葬られて了うのではない、天地から生れて天地に葬られるのである。世間とは人々相集合して成立つ形のない者、人とは物質、この物質はこの大なる自然ちょう物質の一部分である、これほど簡単な事実はないので小学校の生徒も知って居ることである。しかるに不思議にも人はこの事実を忘れてしまい、成長するに従いただ世間ばかり相手に生きて居る、世間を相手にあるいは泣きあるいは笑い、そして一生涯を送ってしまう。そしてヒョックリ死んで了い、彼が全く忘却して相手にも仕なかった自然の中に消滅して了う。

すべて人間界の不思議中、これほどの不思議はないのである。そういう私もやはりそのお仲間なので、四六時中、夢にも現にも私の心を動かして居るものの九分九厘は世間である。

ところが、昨夜のことであった、私はフト真夜中に眼が覚めた。夢も見ない熟睡の中から覚めた。一室は仄暗く、あたりは森として居る。この時、私の心に電のように閃いて来た一の思想があった、思想といおうか、感情といおうか、将た現象と言うか、心理学者の分類するところの知情意の何れに属すべきものたるを私は知らない。

「アア不思議！　ここはどこだ、宇宙だ、自分はこの宇宙の一部分だ、生命よ、この生命はこの宇宙の呼吸である。」

ただこう言えば言葉の連続に過ぎないがしかし、私の感じたことは到底如何る言葉を以てしても現わすことが出来ない。この畏ろしき心の現象が閃いた時、その時実に私自身の存在を感じたのである。世間における自己ではない、利害得喪、是非善悪の為めに心を悩す自己ではない、文学とか宗教とか政治とか、はた倫理とかいう題目に思を焦す自己ではない。また親子の愛、男女の恋に熱き涙を流す自己でもない。ただそれ一個の生物たる我の存在、この宇宙における存在を感じたのである。

しかしたちまちにしてこの心の現像は消えて了った、恰度闇に閃めく電光が忽然としてまた闇に消えて了うように、私は再びこれを呼び返そうと力めて見たがだめであった。

しかしながらこの時私は沁々と感じた「さてさて人間とは不思議なものである。生命とは不思議なものである、」と。

以上の如く君子に語りたれども、たゞ首肯けるのみ、さして異なりたる感を起したる様も見えざりき。

神を説くは易し、神を求ずんば止む能はざるの境に人心を導びくことは難し、尾間の言は解し易く、我が語るところの経験は、経験ありし其人にあらずんば遂に解す可からざる乎。

〔十〕

鬼あり、黒き翼を振って我室に現はれぬ、声荒らかに曰ふ、「来れ！　爾に見すべきものあり。」彼に尾して飛びゆくに其道程を知らず。鬼曰く「見よ！　爾彼等を知るか。」と。黒闇々の裡、色彩鮮明に現はるる二個の人物あり。一は尾間利雄、一は君子！


「爾、彼等を知るか、」鬼は冷かに問いぬ。

「知れり。一は伝道師尾間利雄。一は少女君子。」

「見よ、彼等さも睦じき様ならずや。」

「然り、互に寄り添ふて歩むなり。」と我が声は慄ひぬ。

「見よ、彼等相抱きぬ。」と鬼は私語けり。我は顔を背けて見ざらんと欲して能はず。

鬼は哂ひて
「何ぞ正視せざる？　彼等は楽げなり。」

「然り楽げなり、されど我は多く見ることを好まざるなり。」

「何故ぞや。花の咲ける、鳥の囀づる、男女の相親しむ。みな自然の女神の織りなす綾のみ。怪しむに足らざるなり。」

「然り、然り、爾の言ふところの如し。」

「然も爾の顔に苦痛の色あるは何ぞや。」と鬼は苦笑して問ひぬ。

「女の愚なるを憐れむなり。」と我が声は激しぬ。

「欺むく勿れ、自から欺く勿れ。愚なる女を爾は何が故に恋たる。」

「あゝ我恋ひせしか、恋とは何ぞや。」

「恋とは爾が今、彼の少女の上に注ぐ心の様の如きを言ふなり。恋とは唯だかくの如きのみ。」

「我は彼女を悪む。」

「則ち恋のみ、恋は悪み、恨み、憤ふることを教ゆ。爾も亦た其奴のみ。……見よ、見よ、彼等も恋の奴なり、されど彼等は楽げなり、幸福なり、爾これを祝せざるか。」

余は口言ふ能はず、たゞ眼を張て闇黒裡に旋転する二個の幻影を見るのみ。彼等は声高らかに得意の讃美歌を歌ひつゝ互に手を執って胡蝶の如く舞ひ、落花の如く翻へり。翩々(24)として上天杳に上りゆくなり。

鬼は喜ばしげに叫んで曰く「あゝ爾等永久に幸福なれ。神の御前に爾等の恋を遂げよ！」

「悪魔！ 悪魔！」と我が血は沸き、我が眼眥は破け、我が声は嗄れつ、直に無限の闇の底深く身を躍らせば、飄々蕩々(25)として窮まるところを知らず、火光矢の如く身辺を掠めて飛ぶこと無数、泣く声、叫ぶ声、遠くして哀笛の如きもの身を繞りて聞ゆ。夢にあらず、現にあらず。

〔十二〕

布浦武雄と相親しむこと益々深し。君子は町なる教会に通ふこと度重なり、尾間利雄は余が許に来る毎に必らず君子を訪ひ、時として君子をのみ訪ふことあり。武雄は尾間をよろこばざるが如し。

武雄と尾間が問答こそ面白けれ。武雄曰く「君は女の信者を作ることゝ、男の信者を作ることゝ何れを難しとし給ふや。」

尾間は真面目になりて「そは同じことなり。等しく人なる以上は、神のこれを召し給ふに何の差別あらん。」

「神の召し給ふには差別なかるべし。されど等く人形を作るにも男形と女形とは労力に於いて甚だしく差ありと聞く、信者を作る亦た此類ならずや。」

尾間は益々真面目になりて「我等を人形造に喩へ給ふこと苦しからず、基督は自身を牧者に喩へ給ひしことすらあり。故に君が問に答へん、女は男に比ぶれば心直にして教を納れ道に順ひ易し、男はこれに反す、されば女の信者を作るは甚だ易きことなり。」「且つ甚だ楽きことなるが如く見ゆ、如何。」と問はれて尾間は大声に笑ひ、「左なり、左なり、大に楽しきものなり。」と言ひ放ちて意に介せざる様なりし。

〔十二〕

悪魔あり、私語いて曰く「何故に爾は自殺する能はざるか。自殺の罪悪説は爾の冷笑する処ならずや。爾に希望ある乎。爾は罪悪説の故を以て自殺せざるには非ず、自覚せよ。爾に希望ある乎。曰く無し。爾に平和あるか。曰く無し。爾の有するところは唯だ苦悩のみ。千万人の中の一人も経験することなき苦悩のみ。爾は咀はれつゝあるなり。爾は宗教を以て満足せず、爾は花の美、月の光を以て満足せず、爾は実に人の力を以てしては遂げ難きものを追はんと悶くなり。

今や爾は何事を以てするも興味を感ぜざる也。然らば何故に自殺せざるか。死は万事休する最後の平和に非ずや。平和、然ずんば空。

此処に一個鋭利なる小刀あり、爾の為めに特に用意し置きたるなり。以て胸を刺すに足る。

イザ一挙手のこと！　十分にして或は五分間にして足る。僅かに五分間の苦痛！

爾が父母、兄弟、朋友、総て爾の一度見し処の人、見ざる億万人、すべて後より爾を追ひゆく可し。彼等も終には爾と等かるべし。数年若しくは数十年の遅速のみ。

イザ小刀ここにあり、何故に躊躇ふか。一挙手の事、五分間にして足る、五分間、三分間！

見よ、爾の崇拝する古英雄、古聖人、爾の親しかりし朋友某等、皆な死の国の民ならずや。死の国には友多し、友多し、彼もあり、彼もあり。

一挙手のこと！　何故にためらうか。嗚呼、爾はたゞ空くためらふのみ、其理由を解せざるなり。若し理由ありとすれば一個、僅に爾を憤激せしむるものあり、曰く自殺は薄弱の行為なり、平和を得ずんば得るまで戦へ、信仰なくんば信仰を得るまで苦戦せよ。自殺は薄弱の行為なりと。

されど爾は已に此憤激を用ゆること余りに数々、最早爾を立しむるの弾力なきまでに使ひたり。

欺く勿れ、爾は未だ真面目ならぬなり。自殺をも為し得ず、希望もなく平和もなし。爾は憐れの男なり、あゝ爾は世にも憐れなる一人なり。死か生か、其一を正しく選ぶ能はず、獣の如く生ることすら能はず、たゞ苦悩のみ、名け難き苦悩の児のみ。たゞ肉体を古びたる衣の如く纏ひつゝ戦慄す、吐血す。」

われ静に答へて曰く――「自殺して終に如何。生と死と何の相違ぞ。宇宙はあらゆる法則なり。死するも生くるも我等この法則の外に脱がるゝ能はず。死は吾等を運びて宇宇宙の外に持去るかの如き感想を懐くことは、自殺者及び死を軽視する者の総ての誤謬ならずや。

われ此処に厳存す。宇宙は全体なり、あゝ我れこの存在を如何すべき。死するも生くるも遂に此存在の事実は人の力もて打消す能ふべきに非ず。在るものは如何してもあるなり。あゝ我、不思議なるかな。」

悪魔笑つて曰く――「いみじくも言へるもの哉。爾は終に苦悩の児なり。死の存在を得るに若かず、死の法則に順がふに若ず。」

〔十三〕

恋よ、恋よ、われ恋を欲す。少女の香に打るゝ時、己が悩める魂は安を得るなり。君子と偕に在るときは、限り知らぬ楽さを覚ゆ。

されど君子は余を憎からず思ふのみ、寧ろ彼の尾間利雄を恋ひつゝあり。

〔十四〕

武雄と語る。余曰く――「若し冷やかなる言葉を以てすれば我等が選ぶ可きは二者の一のみ。曰く天地に大道存し、大道は神より出で、人は之を信じて、愛と美とを永久の真と信ずること。曰く天地はたゞ盲動の暗黒のみ、人は愚と悪との肉塊のみ、美とは空名のみ、愛とは動物の発作のみ、空より生じて空に消ゆべきのみ。

此二者のみ、光若くば暗。されど奇怪なるは我等が心の立場なり。二者の一をも信ずる能はず。確信する能はず。確信の実を挙る能はず。

道路二岐に分る、我等が足其分点に立つ。右すべき乎。右すべくんば右し、左すべくんば左す、決する能はずんば躊躇す。凡て此等の行為は極めて明白なり。

然に天地人生の意義を思ふ時に於て、人の心も奇怪なるかな、光明か暗黒か、其一を選ぶべくして選ばず、躊躇し苦悶すべくして然らず、平然として談笑論議す。

懸崖の上を歩む時、深淵眼下に蒼たり、路帯よりも細し、心期せずして戦く、足自から慄ふ。光と暗とを界する危道に立ちて我等が心の平然たるは何故ぞ。

要するに吾等の心は光明と暗黒とを選ぶべき必然の地位に立ざるなり。習慣と伝説の底に住みて日より日と動物的生命を駆りつゝあるのみ。斯くて尚ほ善といひ悪といひ神といふも終に空しき言葉ならんのみ。

所謂る宗教を説き信仰を叫ぶ者、此類ならぬは殆んど稀なり。基督が十字架の苦を説く前に、荒野の苦悶[27]を解せざる可からず。基督は十字架に依って尊とし、されど荒野の苦悶ありて基督ありしなり。

吾等は先づ正直に我等が心の今の立場を明めざる可からず。「求めよ然らば与へられん、(28)」果して然らば先づ求めよ、されど先づ求むるに先って求むるの心を求めざる可らず。」

〔十五〕

武雄と共に浄瑠璃の先生を訪ふ。先生の名は虎三。三十に近き壮夫なり。赤顔の背高き男。

丘を越て行けば、藪の小蔭に茅屋あり、冬の夜の闇を破りて障子に映る火影のゆらぐを見る。裡に入れば土間に築きし竈の下熾に燃て、其傍に蹲居たるは虎三なり。我等の入来るを見て起んともせず、手を火にかざしたるまゝ顔を向け「此寒いのによくこそ」

余は武雄が就て学ぶところを聴き、更らに虎三のみが語る一段を聴きぬ。彼の肉声の一高一低、嗚咽ぶが如きとき、忽ちさらさらと音して屋外におとなふものあり。暫くして止ぬ。一室の中、たゞ朗々の声、痛哀の調を聞くのみ。

辞して戸外に出づれば、飛ぶが如き雲間より月現らはれ、過ぎゆきし霰の跡白く狭き山路を隈れり。武雄は今夜学びしところを歌ひつゝゆく。

岡の頂に達す。見渡せば近郊の田園樹林、寒き月影に沈み、天外の清光霜を帯ぶ。二人は暫く立つゞけ居たりしが、此時、言ひ難き哀感と共に我知らず落涙す。

「何が故に落涙したまふ。」と武雄問ひぬ。

「この如き時、涙を禁じ能はざるもの余のみには非ず。たゞ夫れ月明の清を哀むといはんか、あらず、君の歌ふを聞き、其声の冴て山彦に響くを聞き、山を見、林を見、仰いで千古の月明に対し、窮りなき大空を望むとき、人情と自然との幽なれど絶ざる約束を感ぜざるを得ず、これを以て泣くなり。

君は曽て、旅して遠く笛の音を聞しことありと言ひたまひぬ。余も亦たこれを聞きぬ、而して今夜に等しき哀感に打れぬ。この如きは其他に数々余の経験せしところ。あゝ余が存在の不思議にまどひつゝも猶ほ僅に堪へ忍び得るは全く此哀感の故のみなり。時の羽風耳辺を掠めて飛び、此生の泡沫の如く、人類の運命の遂に果敢を感じて消魂する時も、僅に此哀感の力にて我が心は幽ながらも永遠の命の俤に触れ得るなり。」

九

浅海謙輔の「悪魔」は大概以上の如きものであった。自分はこれを君子に示そうかとも思ったが、要するに無益のことと思い止まったのである。

君子は初め自分を愛して居たが、しかしそれは所謂従兄妹の恋で言うに足りない。謙輔が来てから、君子の心は大に傾き、自分は確に二人の恋の成立べきを思った。けれども謙輔は君子に取て余り大きな謎語であった。謙輔の言葉は決して甘ったるくなかった。

そこへ現われたのが尾間利雄である。利雄は熱心に君子を説き、神の愛を噛で含めて聴した。得意の讃美歌を以て君子の心を動かした。そして二人はほとんど恋の底に沈もうと仕たのである。

浅海が去るや、自分は叔母を説いて君子を自分の友なる隣村の青年に嫁がしめた。君子は愛の自由を説いてこの結婚に反対した時、叔母の驚愕は尋常でなかったのである。何時の間に君子がかかる主張を公言するようになったのか、ほとんど寝耳に水の感があったらしい。

けれども兎も角も君子は遂に自分の友の許に嫁いで了った。そして間もなく尾間は転任して我郷里を離れた。

* * *

君子には今、一人の児が出来て、頗る平和に暮して居る。神の愛は忘れて了ったらしい。耶蘇教の耶の字も今はなくなった。自分がおりおり浅海謙輔のことを話すと、あの頃は面白かったとのみ。

言うことを忘れて居たが、謙輔の父母は謙輔が去って後、半年目で他に転任したのである。それで謙輔はその後遂に一度も我山林に来ないのである。恐らく永遠に来ないだろう。

尾間は相変らず神の愛を説いて居ることだろう。謙輔は今も「悪魔」を筆にしつつあるや如何(いか)に。

画の悲み

画を好かぬ小供は先ず少ないとしてその中にも自分は小供の時、何よりも画が好きであった。（と岡本某が語り出した）。

好きこそ物の上手とやらで、自分も他の学課の中画では同級生の中自分に及ぶものがない。画と数学となら、憚りながら誰でも来いなんて、自分も大に得意がって居たのである。しかし得意ということは多少競争を意味する。自分の画の好きなことは全く天性といっても可かろう、自分を独で置けば画ばかり書いて居たものだ。

独で画を書いて居るといえば至極温順しく聞えるが、その癖自分ほど腕白者は同級生の中にないばかりか、校長が持て余して数々退校を以て嚇したのでも全校第一ということが分る。

全校第一腕白でも数学でも。しかるに天性好きな画では全校第一の名誉を志村という少年に奪われて居た。この少年は数学は勿論、その他の学力も全校生徒中、第二流以下であるが、画の天才に至っては全く並ぶものがないので、わずかに塁を摩そうか(1)とも言われる者は自分一人、その他は悉く志村の天才を崇め奉って居るばかりであった。ところが自分は志村を崇拝しない、今に見ろという意気込で頻りと励げんで居た。

元来志村は自分よりか歳も兄、級も一年上であったが、自分は学力優等というので自分の居る級と志村の居る級とを同時にやるべく校長から特別の処置をせられるので自然志村は自分の競争者となって居た。

しかるに全校の人気、校長教員を始め何百の生徒の人気は、温順しい志村に傾いて居る、志村は色の白い柔和な、女にして見たいような少年、自分は美少年ではあったが、乱暴な傲慢、喧嘩好きの少年、おまけに何時も級の一番を占めて居て、試験の時は必らず最優等の成績を得る処から教員は自分の高慢が癪に触り、生徒は自分の圧制が癪に触り、自分にはどうしても人気が薄い。そこで衆人の心持は、せめて画でなりと志村を第一として、岡本の鼻柱を挫いてやれという積であった。自分はよくこの消息を解して居た。そして心中ひそかに不平でならぬのは志村の画必ずしも能く出来て居ない時でも校長をはじめ衆人がこれを激賞し、自分の画は確かに上出来であっても、さまで賞めて呉れ手のないことである。少年ながらも自分は人気というものを悪んで居た。

ある日学校で生徒の製作物の展覧会が開かれた。その出品は重に習字、図画、女子は仕立物等で、生徒の父兄姉妹は朝からぞろぞろと押かける。取りどりの評判。製作物を出した生徒の気が気でない、皆なそわそわして展覧室を出たり入ったりして居る。自分もこの展覧会に出品する積りで画紙一枚に大きく馬の頭を書いた。馬の顔を斜に見た処で、無論少年の手には余る画題であるのを、自分はこの一挙に由て是非志村に打勝うという意気込だから一生懸命、学校から宅に帰ると一室に籠って書く、手本を本にして生意気にも実物の写生を試み、幸い自分の宅から一丁[2]ばかり離れた桑園の中に借馬屋があるので、幾度となくそこの厩に通った。輪廓といい、陰影と云い、運筆といい、自分は確にこれまで自分の書いたものは勿論、志村が書いたものの中でこれに比ぶべき出来はないと自信して、これならば必ず志村に勝つ、いかに不公平な教員や生徒でも、今度こそは自分の実力に圧倒さるるだろうと、大勝利を予期して出品した。

出品の製作は皆な自宅で書くのだから、何人も誰が何を書くのか知らない、また互に秘密にして居た。殊に志村と自分は互の画題を最も秘密にして知らさないようにして居た。であるから自分は馬を書きながらも志村は何を書いて居るかという問を常に懐いて居たのである。

さて展覧会の当日、恐らく全校数百の生徒中もっとも胸を轟かして、展覧室に入った者は自分であろう。図画室は既に生徒及び生徒の父兄姉妹で充満になって居る。そして二枚の大画(今日の所謂る大作)が並べて掲げてある前は最も見物人が集って居る。二枚の大画は言わずとも志村の作と自分の作。

一見自分は先ず荒胆を抜かれてしまった。(3) 志村の画題はコロンブス(4)の肖像ならんとは！　しかもチョーク(5)で書いてある。元来学校では鉛筆画ばかりで、チョーク画は教えない。自分もチョークで画くなど思いもつかんことであるから、画の善悪は兎も角、先ずこの一事で自分は驚いてしまった。その上ならず、馬の頭と髭髯面を被う堂々たるコロンブスの肖像とは、一見まるで比べ者にならんのである。かつ鉛筆の色はどんなに巧みに書いても到底チョークの色には及ばない。画題といい色彩といい、自分のは要するに少年が書いた画、志村のは本物である。技術の巧拙は問う処でない、掲げて以て衆人の展覧に供すべき製作としては、いかに我慢強い自分も自分の方が佳いとは言えなかった。さなきだに(6)志村崇拝の連中は、これを見て歓呼して居る。「馬も佳いがコロンブスは如何だ！」などいう声が彼処でも此処でもする。

自分は学校の門を走り出た。そして家には帰らず、直ぐ田甫へ出た。止めようと思うても涙が止まらない。口惜いやら情けないやら、前後夢中で川の岸まで走って、川原の草の中に打倒れてしまった。

足をばたばたやって大声を上げて泣いて、それで飽き足らず起上ってそこらの石を拾い、四方八方に投げ付けて居た。

こう暴れて居るうちにも自分は、彼奴何時の間にチョーク画を習ったろう、何人が彼奴に教えたろうとそればかり思い続けた。

泣いたのと暴れたので幾干か胸がすくと共に、次第に疲れて来たので、いつかそこに臥てしまい、自分は蒼々たる大空を見上げて居ると、川瀬の音が淙々として聞える、若草を薙いで来る風が、得ならぬ春の香を送って面を掠める。佳い心持になって、自分は暫時くじっとして居たが、突然、そうだ、自分もチョークで画いて見よう、そうだという一念に打たれたので、その儘飛び起き急いで宅に帰えり、父の許を得て、直ぐチョークを買い整え画板を提げて直ぐまた外に飛び出した。

この時まで自分はチョークを持ったことが無い。どういう風に書くものやら全然不案内であったがチョークで書いた画を見たことは度々あり、ただこれまで自分で書かないのは到底まだ自分どもの力に及ばぬものとあきらめて居たからなので、志村があの位い書けるなら自分も幾干か出来るだろうと思ったのである。

再び先の川辺へ出た。そして先ず自分の思いついた画題は水車、この水車はその以前鉛筆で書いたことがあるので、チョークの手始めに今一度これを写生してやろうと、堤を辿って上流の方へと、足を向けた。

　水車は川向にあってその古めかしい処、木立の繁みに半ば被われて居る案排、蔦葛が這い纏うて居る具合、少年心にも面白い画題と心得て居たのである。これを対岸から写すので、自分は堤を下りて川原の草原に出ると、今まで川柳の蔭で見えなかったが、一人の少年が草の中に坐って頻りに水車を写生して居るのを見つけた。自分と少年とは四、五十間[7]隔たって居たが自分は一見して志村であることを知った。彼は一心になって居るので自分の近いたのに気もつかぬらしかった。

　おやおや、彼奴が来て居る、どうして彼奴は自分の先へ先へと廻わるだろう、忌ま忌ましい奴だと大に癪に触ったが、さりとて引返えすのはなお慊だし、如何して呉れようと、その儘突立って志村の方を見て居た。

　彼は熱心に書いて居る草の上に腰から上が出て、その立てた膝に画板が寄掛けてある、そして川柳の影が後から彼の全身を被い、ただその白い顔の辺から肩先へかけて楊を洩れた薄い光が穏かに落ちて居る。これは面白ろい、彼奴を写してやろうと、自分はその儘そこに腰を下して、志村その人の写生に取りかかった。それでも感心なことには、画板に向うと最早志村もいまいましい奴など思う心は消えて書く方に全く心を奪られてしまった。

彼は頭を上げては水車を見、また画板に向う、そして折り折り左も愉快らしい微笑を頬に浮べて居た。彼が微笑する毎に、自分も我知らず微笑せざるを得なかった。

そうする中に、志村は突然起ち上がって、その拍子に自分の方を向いた、そして何とも言い難き柔和な顔をして、にっこりと笑った。自分も思わず笑った。

「君は何を書いて居るのだ、」と聞くから、

「君を写生して居たのだ。」

「僕は最早水車を書いてしまったよ。」

「そうか、僕はまだ出来ないのだ。」

「そうか、」と言って志村はその儘再び腰を下ろし、もとの姿勢になって、

「書き給え、僕はその間にこれを直すから。」

自分は画き初めたが、画いて居るうち、彼を忌ま忌ましいと思った心は全く消えてしまい、かえって彼が可愛くなって来た。そのうちに書き終ったので、

「出来た、出来た！」と叫ぶと、志村は自分の傍に来り、

「おや君はチョークで書いたね。」

「初めてだから全然画にならん、君はチョーク画を誰に習った。」

「そら先達東京から帰って来た奥野さんに習った。しかしまだ習いたてだから何にも書けない。」

「コロンブスは佳く出来て居たね、僕は驚いちゃッた。」

それから二人は連立って学校へ行った。これ以後自分と志村は全く仲が善くなり、自分は心から志村の天才に服し、志村もまた元来が温順しい少年であるから、自分をまた無き朋友として親しんで呉れた。二人で画板を携え野山を写生して歩いたことも幾度か知れない。

間もなく自分も志村も中学校[8]に入ることとなり、故郷の村落を離れて、県の中央なる某町に寄留することとなった。中学に入っても二人は画を書くことを何よりの楽にして、以前と同じく相伴うて写生に出掛けて居た。

この某町から我村落まで七里、もし車道をゆけば十三里の大迂廻になるので我々は中学校の寄宿舎から村落に帰る時、決して車に乗らず、夏と冬と定期休業毎に必ず、この七里の途を草鞋がけで歩いたものである。

七里の途はただ山ばかり、坂あり、谷あり、渓流あり、淵あり、滝あり、村落あり、児童あり、林あり、森あり、寄宿舎の門を朝早く出て日の暮に家に着くまでの間、自分はこれらの形、色、光、趣きを如何いう風に画いたら、自分の心を夢のように鎖ざして居る謎を解くことが出来るかと、それのみに心を奪られて歩いた。志村も同じ心、後になり先になり、二人で歩いて居ると、時々は路傍に腰を下ろして鉛筆の写生を試み、彼が起たずば我も起たず、我筆をやめずんば彼も止めないと云う風で、思わず時が経ち、驚ろいて二人とも、次の一里を駈足で飛んだこともあった。

爾来数年、志村は故ありて中学校を退いて村落に帰り、自分は国を去って東京に遊学することとなり、いつしか二人の間には音信もなくなって、たちまちまた四、五年経ってしまった。東京に出てから、自分は画を思いつつも画を自ら書かなくなり、ただ都会の大家の名作を見て、わずかに自分の画心を満足さして居たのである。

処が自分の二十の時であった、久しぶりで故郷の村落に帰った。宅の物置にかつて自分が持あるいた画板が有ったのを見つけ、同時に志村のことを思いだしたので、早速人に聞いて見ると、驚くまいことか彼は十七の歳病死したとのことである。

自分は久しぶりで画板と鉛筆を提げて家を出た。故郷の風景は旧の通りである、しかし自分は最早以前の少年ではない、自分はただ幾歳かの年を増したばかりでなく、幸か不幸か、人生の問題になやまされ、生死の問題に深入りし、等しく自然に対しても以前の心には全く趣を変えて居たのである。言い難き暗愁は暫時も自分を安めない。

時は夏の最中自分はただ画板を提げたというばかり、何を書いて見る気にもならん、独りぶらぶらと野末に出た。かつて志村と共に能(よ)く写生に出た野末に。
闇にも歓(よろこ)びあり、光にも悲(かなしみ)あり。麦藁帽の廂(ひさし)を傾けて、彼方(かなた)の丘、此方(こなた)の林を望めば、
まじまじと照る日に輝いて眩(まば)ゆきばかりの景色。自分は思わず泣いた。

空知川の岸辺

一

余が札幌に滞在したのは五日間である、わずかに五日間ではあるが余はこの間に北海道を愛するの情を幾倍したのである。

我国本土の中でも中国の如き、人口稠密(1)の地に成長して山をも野をも人間の力で平げ尽したる光景を見慣れたる余にありては、東北の原野すら既に我自然に帰依したるの情を動かしたるに、北海道を見るに及びて、如何で心躍らざらん、札幌は北海道の東京でありながら、満目の光景はほとんど余を魔し去ったのである。

札幌を出発して単身空知川(2)の沿岸に向ったのは、九月二十五日の朝で、東京ならばなお残暑の候でありながら、余がこの時の衣装は冬着の洋服なりしを思わば、この地の秋既に老いて木枯しの冬の間近に迫って居ることが知れるのであろう。

目的は空知川の沿岸を調査しつつある道庁の官吏に会って土地の撰定を相談すること

である。しかるに余は全く地理に暗いのである。かつ道庁の官吏は果して沿岸何れの辺に屯して居るか、札幌の知人何人も知らないのである、心細くも余は空知太(3)を指して汽車に搭じた。

石狩の野(4)は雲低く迷いて車窓より眺むれば野にも山にも恐ろしき自然の力あふれ、ここに愛なく情なく、見るとして荒涼、寂寞、冷厳にしてかつ壮大なる光景はあたかも人間の無力と儚さとを冷笑うが如くに見えた。

蒼白なる顔を外套の襟に埋めて車窓の一隅に黙然と坐して居る一青年を同室の人々は何と見たろう。人々の話柄は作物である、山林である、土地である、この無限の富源より如何にして黄金を握み出すべきかである、彼等のある者は罐詰の酒を傾けて高論しある者は煙草をくゆらして談笑して居る。そして彼等多くは車中で初めて遇ったのである。そして一青年は彼等の仲間に加わらずただ一人その孤独を守って、独りその空想に沈んで居るのである。彼は如何にして社会に住むべきかということは全然その思考の問題としたことがない、彼はただ何時も何時も如何にしてこの天地間にこの生を托すべきかということをのみ思い悩んで居た。であるから彼には同車の人々を見ることほとんど他界の者を見るが如く、彼と人々との間には越ゆ可からざる深谷の横わることを感ぜざるを得なかったので、今しも汽車が同じ列車に人々及び彼を乗せて石狩の野を突過してゆくことは、恰度彼の一生のそれと同じように思われたのである。ああ孤独よ！ 彼は自ら求めて社会の外を歩みながらも、中心実に孤独の感に堪えなかった。

もしそれ天高く澄みて秋晴拭うが如き日であったならば余が鬱屈も大いにくつろぎを得たろうけれど、雲は益々低く垂れ林は霧に包まれどこを見ても、光一閃だもないので余はほとんど堪ゆべからざる憂愁に沈んだのである。

汽車の歌志内(5)の炭山に分るる某停車場(6)に着くや、車中の大半はそこで乗換えたので残るは余の外に二人あるのみ。原始時代そのままで幾千年人の足跡をとどめざる大森林を穿って列車は一直線に走るのである。灰色の霧の一団また一団、たちまち現われたちまち消え、あるいは命あるものの如く黙々として浮動して居る。

「何処までお出でですか。」と突然一人の男が余に声をかけた。年輩四十幾干、骨格の逞ましい、頭髪の長生た、四角な顔、鋭い眼、大なる鼻、一見一癖あるべき人物で、その風俗は官吏に非ず職人にあらず、百姓にあらず、商人にあらず、実に北海道にして始めて見るべき種類の者らしい、則ち何れの未開地にも必ず先ず最も跋扈する山師(7)らしい。

「空知太まで行く積りです。」

「道庁の御用で？」彼は余を北海道庁の小役人と見たのである。

「イヤ僕は土地を撰定に出掛けるのです。」

「ハハア。空知太は何処等を御撰定か知らんが、最早目星ところは無いようですよ。」

「如何でしょう空知太から空知川の沿岸に出られるでしょうか。」

「それは出られましょうとも、しかし空知川の沿岸の何処等ですかそれが判然しないと……」

「和歌山県の移民団体が居る処で、道庁の官吏が二人出張して居る、そこへ行くのですがね、兎も角も空知太まで行って聞いて見る積りで居るのです。」

「そうですか、それでは空知太にお出になったら三浦屋[8]という旅人宿へ上って御覧なさい、そこの主人がそういうことに明う御座いますから聞て御覧なったら可うがす、どうもまだ道路が開けないので、一寸そこまでの処でも大変大廻りを為なければならんようなことが有って慣れないものには困ることが多うがすテ。」


それより彼は、開墾の困難なことや、土地に由って困難の非常に相違することや、交通不便の為めに折角の収穫も容易に市場に持出すことが出来ぬことや、小作人を使う方法などについて色々と話し出した、それらの事は余も札幌の諸友から聞いては居たが、彼の語るがままに受けてただその好意を謝するのみであった。

間もなく汽車は蕭条たる一駅に着いて運転を止めたので余も下りるとこの列車より出た客は総体で二十人位に過ぎざるを見た、汽車はここより引返すのである。

ただ見るこの一小駅は森林に囲まれて居る一の孤島である。停車場に附属する処の二、三の家屋の外人間に縁ある者は何も無い。長く響いた汽笛が森林に反響して脈々として遠く消え失せた時、寂然として言う可からざる静さにこの孤島は還った。

三輌の乗合馬車が待って居る。人々は黙々としてこれに乗り移った。余も先の同車の男と共にその一に乗った。

北海道馬の騾馬[9]に等しきが二頭、逞ましき若者が一人、六人の客を乗せて何処へともなく走り初めた、余は「何処へともなく」というの心持が為たのである。実に我が行先は何処で、自から問うて自から答えることが出来なかったのである。

三輌の馬車は相隔つる一町ばかり、余の馬車は殿に居たので前に進む馬車の一高一低、凸凹多き道を走って行く様が能く見える。霧は林を掠めて飛び、道を横ってまた林に入り、真紅に染った木の葉は枝を離れて二片三片馬車を追うて舞う。御者は一鞭強く加えて

「最早降るぞ！」と叫けんだ。

「三浦屋の前で止めてお呉れ！」と先の男は叫けんで余を顧みた。余は目礼してその好意を謝した。車中何人も一語を発しないで、皆な屈托な顔をして物思に沈んで居る。御者は今一度強く鞭を加えて喇叭を吹き立たので軀は小なれども強力なる北海の健児は

大駈（おおかけ）に駈けだした。

林がやや開けて殖民の小屋が一軒二軒と現れて来たかと思うと、突然平野に出た。幅広き道路の両側に商家らしきが飛び飛びに並んで居る様（さま）は新開地の市街たるを欺（あざむ）かない。馬車は喇叭の音（ね）勇ましくこの間を駈（か）けた。

二

三浦屋に着くや早速主人を呼んで、空知川の沿岸に行くべき方法を問い、詳しく目的を話して見た。処（ところ）が主人はむしろ引返（ひきか）えして歌志内に廻（ま）わり、歌志内より山越えした方が便利だろうという。

「次の汽車なら日の暮までには歌志内に着きますから今夜は歌志内で一泊なされて、明日（あす）能（よ）くお聞合せになってその上でお出かけになったが可（よ）うがす。歌志内ならこことは違って道庁の方（かた）も居ますから、その井田さんとかいう方（かた）の今居る処も多分解（わか）るでしょう。」

こういわれて見ると成程（なるほど）そうである。されども余は空知川の岸に沿うて進まば、余が会わんとする道庁の官吏井田某の居所（いどころ）を知るに最も便ならんと信じて、空知太まで来たのである。しかるに空知太より空知川の岸をつたうことは案内者なくては出来ぬとのこと、しかもその道らしき道の開け居るには在らずとの事を、三浦屋の主人より初めて聞いたのである。そこで余は主人の注意に従い、歌志内に廻わることに定めて、次の汽車まで二時間以上を、三浦屋の二階で独りポツ然と待つこととなった。

見渡せば前は平野である。伐り残された大木が彼処此処に衝立っている。風当りの強きゆえか、何れも丸裸体になって、黄色に染った葉の僅少ばかりが枝にしがみ着いて居るばかり、それすら見て居る内にバラバラと散って居る。風の加わると共に雨が降って来た。遠方は雨雲に閉されて能くも見え分かず、最近に立って居る柏の高さ三丈(10)ばかりなるが、その太い葉を雨に打たれ風に揺られて、けうとき音(11)を立てて居る。道を通る者は一人もない。

かかる時、かかる場所に、一人の知人なく、一人の話相手なく、旅人宿の窓に倚って降りしきる秋の雨を眺めることは決して楽しいものでない。余は端なく(12)東京の父母や弟や親しき友を想い起して、今更の如く、今日まで我を囲みし人情の如何に温かであったかを感じたのである。

男子志を立て理想を追うて、今や森林の中に自由の天地を求めんと願う時、決して女々しくてはならぬと我とわが心を引立てるようにしたが、要するに理想は冷やかにして人情は温かく、自然は冷厳にして親しみ難く人寰[13]は懐かしくして巣を作るに適して居る。

余は悶々として二時間を過した。その中には雨は小止になったと思うと、喇叭の音が遠くに響く。首を出して見ると斜に糸の如く降る雨を突いて一輛の馬車が馳せて来る。余はこの馬車に乗込んで再び先の停車場へと、三浦屋を立った。

汽車の乗客は数うるばかり。余の入った室は余一人であった。人独り居るは好ましきことに非ず、余は他の室に乗換えんかとも思ったが、思い止まって雨と霧との為めに薄暗くなって居る室の片隅に身を寄せて、暮近くなった空の雲の去来や輪をなして回転し去る林の立木を茫然と眺めて居た。かかる時、人は往々無念無想の裡に入るものである。利害の念もなければ越方行末の想もなく、恩愛の情もなく憎悪の悩もなく、失望もなく希望もなく、ただ空然として眼を開き耳を開いて居る。旅をして身心共に疲れ果ててなおその身は車上に揺られ、縁もゆかりもない地方を行く時は往々にしてかくの如き心境に陥るものである。かかる時、はからず目に入った光景は深く脳底に彫り込まれて多年これを忘れないものである。余が今しも車窓より眺むる処の雲の去来や、樺の林や恰度それであった。

汽車の歌志内の渓谷に着いた時は、雨全く止みて日は将に暮れんとする時で、余は宿るべき家のあても、、なく停車場を出ると、流石に幾千の鉱夫を養い、幾百の人家の狭き渓に簇集して居る場所だけありて、宿引なるものが二、三人待ち受けて居た。その一人に導かれ礫多く燈暗き町を歩みて二階建の旅人宿に入り、妻女の田舎なまりをその儘、愛嬌も心からしく迎えられた時は、余も思わず微笑したのである。

夜食を済すと、呼ばずして主人は余の室に来てくれたので、直に目的を語り彼より出来るだけの方便を求めた、主人は余の語る処をにつ、、いて聞いて居たが

「一寸お待ち下さい、少し心当りがありますから。」と言い捨てて室を去った。暫時くして立還り

「だから縁というは奇態なものです。貴所最早御安心なさい、すっかり分明ました。」と我身のことの如く喜んで座に着いた。

「わかりましたか。」

「わかりましたとも、大わかり。四日前から私の家にお泊りのお客様があります。この方は御料地(14)の係の方で先達から山林を見分してお廻わりになったのですが、ソラ野宿の方が多がしょう、だから到当身体を傷して今手前共で保養して居らっしゃるのです。篠原さんという方ですがね。何でも宅へ見える前の日は空知川の方に居らっしゃったということを聞きましたから、もしやと思ってただ今伺って見ました処が、解りました。

ウン道庁の出張員なら山を越すと直ぐ下の小屋に居たと仰しゃるのです。御安心なさいここから一里位なもので訳は有りません、朝行けばお昼前には帰って来られますサ。」

「どうも色々難有う、それで安心しました。しかし今もその小屋に居て呉れれば可いが。始終居所が変るのでそれで道庁でも知れなかったのだから。」

「大丈夫居ますよ、もし変って居たら先に居た小屋の者に聞けば可うがす、遠くに移るわけは有りません。」

「兎も角も明日朝早く出掛けますから案内を一人頼んで呉れませんか。」

「そうですな、山道で岐路が多いから矢張り案内が入るでしょう、宅の倅を連れて行っしゃい。十四の小僧ですが、空知太までなら存じて居ます。案内出来ましょうよ。」

と飽くまで親切に言って呉れるので、余は実に謝する処を知らなかった。成程縁は奇態なものである、余にしてもし他の宿屋に泊ったなら決してこれ程の便宜と親切とは得ることが出来なかったろう。

主人はどこまでも快活な男で、放胆で、しかも眼中人なきの様子がある。彼の親切、見ず知らずの余にまで惜気もなく投げ出す親切は、彼の人物の自然であるらしい。世界を家となし到る処にその故郷を見出す程の人は、到る処の山川、接する処の人が則ち朋友である。であるから人の困厄を見れば、その人が何人であろうと、憎悪するの因縁さえ無くば、則ち同情を表する十年の交友と一般なのである。余は主人の口よりその略伝を聞くに及んで彼の人物の推測に近きを知った。

彼はその生れ故郷において相当の財産を持って居た処が、彼の弟二人は彼の相続したる財産を羨むこと甚だしく、遂には骨肉の争まで起る程に及んだ。しかるに彼の父なる七十の老翁もまた少弟二人を愛して、ややもすれば兄に迫ってその財産を分配せしめようとする。もしこれ三等分すれば、三人とも一家を立つることが出来ないのである。

「だから私は考えたのです、これっぱかしの物を兄弟して争うなんて余り量見が小さい。宜しいお前達に与って了う。ただ五分の一だけ呉れろ、乃公はそれを以て北海道に飛ぶからって。そこで小僧が九の時でした、親子三人でポイと此方へやって来たのです。イヤ人間というものはどこにでも住まば住まれるものですよハッハハッ」と笑って「処が妙でしょう、弟の奴等、今では私が分配てやった物を大概無くしてしまって、それで居て矢張り小ぽけな村をこの上もない土地のように思って私が何度も北海道へ来て見ろと手紙ですすめても出て来得ないんですサ。」

余はこの男の為す処を見、その語る処を聞いて、大に得る処があったのである。よしやこの一小旅店の主人は、余が思う所の人物と同一でないにせよ、よしや余が思う所の人物は、この主人より推して更らに余自身の空想を加えて以て化成[15]したる者にせよ、彼はよく自由によく独立に、社会に住んで社会に圧せられず、無窮の天地に介立して安んずる処あり、海をも山をも原野をも将た市街をも、我物顔に横行闊歩して少しも屈托せず、天涯地角到る処に花の香しきを嗅ぎ人情の温かきに住む、げに男はすべからくこの如くして男というべきではあるまいか。

かく感ずると共に余の胸は大に開けて、札幌を出でてより歌志内に着くまで、雲と共に結ぼれ、雨と共にしおれて居た心は端なくも天の一方深碧にして窮りなきを望んだような気がして来た。

夜の十時頃散歩に出て見ると、雲の流急にして絶間絶間には星が見える。暗い町を辿って人家を離れると、渓を隔てて屛風の如く黒く前面に横わる杣山[16]の上に月現われ、山を掠めて飛ぶ浮雲は折り折りその前面を拭うて居る。空気は重く湿めり、空には風あれども地は粛然として声なく、ただ渓流の音のかすかに聞ゆるばかり。余は一方は山、一方は崖の爪先上りの道を進みて小高き広場に出たかと思うと、突然耳に入ったものは絃歌の騒である。

見れば山に沿うて長屋建の一棟あり、これに対してまた一棟あり。絃歌はこの長屋より起るのであった。一棟は幾戸かに分れ、戸々皆な障子をとざし、その障子には火影花かに映り、三絃の乱れて狂う調子放歌の激して叫ぶ声、笑う声は雑然として起って居るのである、牛部屋に等しきこの長屋は何ぞ知らん鉱夫どもが深山幽谷の一隅に求め得し歓楽境ならんとは。

流れて遊女となり、流れて鉱夫となり、買うものも売るものも、我世夢ぞと狂歌乱舞するのである。余は進んでこの長屋小路に入った。

雨上の路はぬかるみ、水溜には火影うつる。家は離れて見しよりも更に哀れな建てざまにて、新開地だけにただ軒先障子などの白木の夜目にも生々しく見ゆるばかり、床低く屋根低く、立てし障子は地より直に軒に至るかと思われ、既に歪みて隙間よりは釣ランプの笠など見ゆ。肌脱の荒くれ男の影鬼の如く映れるあり、乱髪の酌婦の頭の夜叉(17)の如く映るかと思えば、床も落つると思わるる音が為て、ドッとばかり笑声の起る家もあり。「飲めよ」、「歌えよ」、「殺すぞ」、「撲るぞ」、哄笑、激語、悪罵、歓呼、叱咤、艶ある小節の歌の文句の腸を断つばかりなる、三絃の調子の嗚咽が如きたちまちにして暴風、たちまちにして春雨、見来れば、歓楽の中に殺気をこめ、殺気の中に血涙をふくむ、泣くは笑うのか、笑うのは泣くのか。怒は歌か、歌は怒か、嗚呼儚き人生の流よ！　数年前までは熊眠り狼住みしこの渓間に流れ落ちて、ここに澱み、ここに激し、ここに沈み、月影冷やかにこれを照して居る。

余は通り過ぎて振り顧り、暫し佇立んで居ると、突然間近なる一軒の障子が開いて一人の男がつと現われた。

「や、月が出た！」と振上げた顔を見れば年頃二十六、七、背高く肩広く屈強の若者である。きょろきょろ四辺を見廻して居たが吻と酒気を吐き、舌打して再び内によろめき込んだ。

三

宿の子のまめまめしき[18]が先に立ちて、明くれば九月二十六日朝の九時、愈々空知川の岸へと出発した。

陰晴定めなき天気、薄き日影洩るるかと思えばたちまち峰より林より霧起りて峰をも林をも路をも包んでしまう。山路は思いしより楽にて、余は宿の子と様々の物語しつつ身も心も軽く歩ゆんだ。

林は全く黄葉み、蔦紅葉は、真紅に染り、霧起る時は霞を隔て花を見るが如く、日光直射する時は露を帯びたる葉毎に幾千万の真珠碧玉を連らねて全山燃るかと思われた。

宿の子は空知川沿岸における熊の話を為し、続いて彼が子供心に聞き集めたる熊物語の幾種かを熱心に語った。坂を下りて熊笹の繁る所に来ると彼は一寸立どまり

「聞えるだろう、川の音が」と耳を傾けた、「ソラ……聞えるだろう、あれが空知川、もう直ぐそこだ。」

「見えそうなものだな。」

「如何して見えるものか、森の中に流れて居るのだ。」

二人は、頭を没する熊笹の間をわずかに通う帯ほどの径を暫く行と、一人の老人の百姓らしきに出遇ったので、余は道庁の出張員が居る小屋を訊ねた。

「この径を三丁[19]ばかり行くと幅の広い新開の道路に出る、その右側の最初の小屋に居なさるだ。」と言い捨てて老人は去って了った。

歌志内を出発てからここまでの間に人に出遇ったのはこの老人ばかりで、途中また小屋らしき物を見なかったのである。余はこの老人を見て空知川の沿岸に既に多少かの開墾者の入込んで居ることを事実の上に知った。

熊笹の径を通りぬけると果して、思いがけない大道が深林を穿って一直線に作られてある。その幅は五間[20]以上もあろうか。しかも両側に密茂して居る林は、二丈を越え三丈に達する大木が多いのだ、この幅広き大道も、堀割を通ずる鉄道線路のようであった。しかし余はこの道路を見て拓殖に熱心なる道庁の計営の、如何に困難多きかを知ったのである。

見ればこの道路の最初の右側に、内地では見ることの出来ない異様なる堀立小屋がある。小屋の左右及び後背[22]は林を倒して、二、三段歩[21]の平地が開かれて居る。余は首尾よくこの小屋で道庁の属官、井田某及び他の一人に会うことが出来た。

殖民課長の丁寧なる紹介は、彼等をして十分に親切に余が相談相手とならしめたのである。更に驚くべきは、彼等が余の名を聞いて、早く既に余を知って居たことで、余の蕪雑なる文章[23]も、何時しか北海道の思いもかけぬ地にその読者を得て居たことであった。

二人は余の目的を聞き終りて後、空知川沿岸の地図を披きその経験多き鑑識を以て、彼処此処と、移民者の為めに区劃せる一万五千坪[24]の地の中から六ケ所ほど撰定して呉れた。

事務は終り雑談に移った。

小屋は三間に四間を出でず、屋根も周囲の壁も大木の皮を幅広く剝ぎて組合したもので、板を用いしは床のみ、床には筵を敷き、出入の口はこれまた樹皮を組みて戸となしたるが一枚被われてあるばかりこれ開墾者の巣なり家なり、いな城廓なり。一隅に長方形の大きな炉が切って、これを火鉢に竈に、煙草盆に、冬ならば煖炉に使用するのである。

「冬になったら堪らんでしょうねこんな小屋に居ては。」

「だって開墾者は皆なこんな小屋に住で居るのですよ。どうです辛棒が出来ますか。」

と井田は笑いながら言った。

「覚悟は為て居ますが、イザとなったら随分困るでしょう。」

「しかし思った程でもないものです。もし冬になって如何しても辛棒が出来そうもなかったら、貴所方のことだから札幌へ逃げて来れば可いですよ。どうせ冬籠はどこでしても同じことだから。」

「ハッハッハッハッハッハッそれなら初めから小作人任にして御自分は札幌に居る方が可かろう。」と他の属官が言った。

「そうですとも、そうですとも。冬になって札幌に逃げて行くほどなら寧そ初めから東京に居て開墾した方が可いんです。何に僕は辛棒しますよ。」と余は覚悟を見せた。

井田は
「そうですな、先ず雪でも降って来たら、この炉にドンドン焼火をするんですな。薪木ならお手のものだから、それで貴所方だからウンと書籍を仕込で置いて勉強なさるんですな。」

「雪が解ける時分には大学者になって現われるという趣向ですか。」と余は思わず笑った。

談して居ると、突然パラパラと音がして来たので余は外に出て見ると、日は薄く光り、雲は静に流れ、寂たる深林を越えて時雨が過ぎゆくのであった。

余は宿の子を残して、一人この辺を散歩すべく小屋を出た。

げに怪しき道路よ。これ千年の深林を滅し、人力を以て自然に打克んが為めに、殊更に無人の境を撰んで作られたのである。見渡すかぎり、両側の森林これを覆うのみにて、一個の人影すらなく、一縷の軽煙(25)すら起らず、一の人語すら聞えず、寂々寥々として横わって居る。

余は時雨の音の淋しさを知って居る、しかし未だかつて、原始の大深林を忍びやかに過ぎゆく時雨ほど淋びしさを感じたことはない。これ実に自然の幽寂なる私語である。深林の底に居て、この音を聞く者、何人か生物を冷笑する自然の無限の威力を感ぜざらん。怒濤、暴風、疾雷、閃雷は自然の虚喝(26)である。彼の威力の最も人に迫るのは、彼の最も静かなる時である。高遠なる蒼天の、何の声もなくただ黙して下界を視下す時、かつて人跡を許さざりし深林の奥深き処、一片の木の葉の朽ちて風なきに落つる時、自然は欠伸して曰く「ああ我一日も暮れんとす」と、しかして人間の一千年はこの刹那に飛びゆくのである(27)。

余は両側の林を覗きつつ行くと、左側で林のやや薄くなって居る処を見出した。下草を分けて進み、ふと顧みると、この身は何時しか深林の底に居たのである。とある大木の朽ちて倒れたるに腰をかけた。

林が暗くなったかと思うと、高い枝の上を時雨がサラサラと降って来た。来たかと思うと間もなく止んで森として林は静まりかえった。

余は暫くジッとして林の奥の暗くなって居る処を見て居た。

社会がどこにある、人間の誇り顔に伝唱する「歴史」がどこにある。この場所において、この時において、人はただ「生存」[28]その者の、自然の一呼吸の中に托されておることを感ずるばかりである。露国の詩人はかつて深林の中に坐して、死の影の我に迫まるを覚えたと言ったが、実にそうである。また曰く「人類の最後の一人がこの地球上より消滅する時、木の葉の一片もその為にそよがざるなり」と。

死の如く静なる、冷やかなる、暗き、深き森林の中に坐して、この如きの威迫を受けないものは誰も無かろう。余我を忘れて恐ろしき空想に沈んで居ると、

「旦那！　旦那！」と呼ぶ声が森の外でした。急いで出て見ると宿の子が立って居る。

「最早御用が済んで帰りましょう」

そこで二人は一先ず小屋に帰ると、井田は、

「どうです今夜は試験のために一晩ここに泊って御覧になっては。」

＊　＊　＊

余は遂に再び北海道の地を踏まないで今日に到った。たとい一家の事情は余の開墾の目的を中止せしめたにせよ、余は今もなお空知川の沿岸を思うと、あの冷厳なる自然が、余を引つけるように感ずるのである。

何故だろう。

非凡なる凡人

上

五、六人の年若い者が集って互に友の上を噂し合ったことが有る、その時、一人が

――僕の小供の時からの友に桂正作という男がある、今年二十四で今は横浜のある会社に技手(1)として雇われ専ら電気事業に従事して居るが、先ずこの男ほど類の異った人物はあるまいかと思われる。

非凡人ではない。けれども凡人でもない。さりとて偏物でもなく、奇人でもない。非凡なる凡人というが最も適評かと僕は思って居る。

僕は知れば知るほどこの男に感心せざるを得ないのである。感心すると言った処で、秀吉とか、ナポレオン(2)とかその他の天才に感心するのとは異うので、この種の人物は千百歳に一人も出るか出ないかであるが、桂正作の如きは平凡なる社会が常に産出し得る

人物である。また平凡なる社会が常に要求する人物である。であるから桂のような人物が一人殖えればそれだけ社会が幸福なのである。僕の桂に感心するのはこの意味においてである。また僕が桂をば非凡なる凡人と評するのもこの故である。

僕等がまだ小学校に通って居る時分であった。ある日、その日は日曜で僕は四、五人の学校仲間と小松山へ出かけ、戦争の真似を仕て、我こそ秀吉だとか義経だとか、十三、四にもなりながら馬鹿げた腕白を働らいて大あばれに荒れ、遂に喉が渇いて来たので、山の直ぐ麓にある桂正作の家の庭へ、裏山からドヤドヤと駈下りて、案内も乞わず、いきなり井戸辺に集まって我勝にと水を汲で呑だ。

すると二階の窓から正作が顔を出して此方を見て居る。僕はこれを見るや

「来ないか。」と呼んだ。けれども平常にない真面目くさった顔つきをして頭を横に振った。腕白の方でも人並のことを仕てのける桂正作、不思議と出て来ないので、僕等も強ては誘わず、その儘また山に駈登って了った。

騒ぎ疲ぶれて衆人散々に我家へと帰り去り、僕は一人桂の宅に立寄った。黙って二階へ上って見ると、正作は「テーブル」に向い椅子に腰をかけて、一心になって、何か読んで居る。

僕は先ずこの「テーブル」と椅子のことから説明しようと思う。「テーブル」という

は粗末な日本机の両脚の下に続台をした品物で、椅子とは足続の下に箱を置いただけのこと。けれども正作は真面目でこの工夫をしたので、学校の先生が日本流の机は衛生に悪いと言った言葉を成程と感心して直ぐこれだけのことを実行したのである。そしてその後常にこの椅子テーブルで彼は勉強して居たのである。そのテーブルの上には教科書その他の書籍を丁寧に重ね、筆墨の類まで決して乱雑に置いてはない。で彼は日曜の好い天気なるにも関わらず、何の本か、脇目もふらないで読んで居るので、僕はその傍に行って

「何を読んで居るのだ。」と言いながら見ると、洋綴の厚い本である。

「西国立志編(3)だ。」と答えて顔を上げ、僕を見たその眼ざしはまだ夢の醒めない人のようで、心はなお書籍の中にあるらしい。

「面白いかね?」

「ウン面白い」

「日本外史(4)と何方が面白い。」と僕が問うや、桂は微笑を含んで、漸く我に復り、何時もの元気の可い声で

「それやアこの方が面白いよ。日本外史とは物が異う。昨夜僕は梅田先生の処から借りて来てから読みはじめたけれど面白うて止められない。僕は如何しても一冊買うの

だ」と言って嬉しくって堪らない風であった。

その後桂は遂に西国立志編を一冊買い求めたが、その本というは粗末至極な洋綴で、一度読み了らない中に既にバラバラになりそうな代物ゆえ、彼はこれを丈夫な麻糸で綴直した。

この時が僕も桂も数え年の十四歳。桂は一度西国立志編の美味を知って以後は、何度この書を読んだか知れない、ほとんど暗誦するほど熟読したらしい、そして今日といえども常にこれを座右に置いて居る。

げに桂正作は活た西国立志編と言ってよかろう、桂自身でもそう言って居る「もし僕が西国立志編を読まなかったら如何であったろう。僕の今日あるのは全くこの書のお蔭だ。」と。

けれども西国立志編（スマイルスの自助論）を読んだものは洋の東西を問わず幾百万人あるか知れないが、桂正作のように、「余を作りし者はこの書なり」と明言し得る者は果して幾人あるだろう。

天が与えた才能からいうと桂は中位の人たるに過ない。学校における成績も中等で、同級生の中、彼よりも優れた少年は幾等も居た。また彼は可なりの腕白者で、僕等と一所に随分荒れたものである。それで学校においても郷党(5)に在ても、特に人から注目せられる少年ではなかった。

けれども天の与えた性質から言うと、彼は率直で、単純で、そしてどこかに圧ゆべからざる勇猛心を持って居た。勇猛心というよりか、敢為の気象[6]と言った方が可かろう。則ち一転すれば冒険心となり、再転すれば山気[7]となるのである。現に彼の父は山気のために失敗し、彼の兄は冒険の為に死んだ。けれども正作は西国立志編のお蔭で、この気象に訓練を加え、堅実なる有為の精神としたのである。

兎も角、彼の父は尋常の人ではなかった。やはり昔の武士で、維新の戦争[8]にも出て一かどの功をも立てたのである。体格は骨太の頑丈な作、その顔は眼ジリ長く切れ、鼻高く一見して堂々たる容貌、気象も武人気質で、容易に物に屈しない。であるからもし武人のままで押通したならば、少くとも藩閥の力で今日は人にも知られた将軍になって居たかも知れない。が、彼は維新の戦争から帰ると直ぐ「農」の一字に隠れて了った。隠れたというよりか出直したのである。そして「殖産」という流行語にかぶれて遂に破産してしまった。

桂家の屋敷は元来、町に在ったのを、家運の傾むくと共にこれを小松山の下に運んで建て直したので、その時も僕の父などはこう言って居た、あれほどの立派な屋敷を打壊さないでそのまま人に譲り、その金で別に建てたら可かろうと。けれども、桂正作の父の気象はこの一事でも解って居る。小松山の麓に移ってこの方は、純粋の百姓になって正作の父は働いて居るのを僕は屢々見た。

　であるから正作が西国立志編を読み初めた頃は、その家政は余程困難であったに違ない。けれどもその家庭には何時も多少の山気が浮動して居たという証拠には、正作がある日僕に向って、宅には田中鶴吉[9]の手紙があると得意らしく語ったことがある。その理由は、桂の父が、当時世間の大評判であった田中鶴吉の小笠原拓殖事業[10]にひどく感服して、わざわざ書面を送って田中に敬意を表した処、田中がまた直ぐ礼状を出してそれが桂の父に届いたという一件、またある日正作が僕に向い、今から何ケ月とかすると蛤を沢山御馳走するというから、何故だと聞くと、父が蛤の繁殖事業を初め、種を取寄せて浜に下したから遠からず、この附近は蛤が非常に採れるようになると答えた。先ずこれらの事で家庭の様子も想像することが出来るのである。

　父の山気を露骨に受けついで、正作の兄は十六の歳に家を飛び出し音信不通、行方知れずになって了った。布哇[11]に行ったとも言い、南米[12]に行ったとも噂させられたが、実際のことは誰も知らなかった。

　小学校を卒業するや、僕は県下の中学校に入って了い、暫時く故郷を離れたが正作は家政の都合でそういうわけに行かず、周旋する人があって某銀行に出ることになり給料四円か五円かで某町まで二里の道程を朝夕往復することになった。

間もなく冬期休課になり、僕は帰省の途に就いて故郷近く車で来ると、小さな坂がある、その麓で車を下り手荷物を車夫に托し、自分はステッキ一本で坂を登りかけると、僕の五、六間[13]さきを歩く少年がある。身に古ぼけたトンビ[14]を着て、手に古ぼけた手提カバンを持て、静に坂を登りつつある、その姿が如何も桂正作に似て居るので、

「桂君じゃアないか」と声を掛けた。後を振り向いて破顔一笑したのはまさしく正作。

立ち止って僕をまち

「冬期休課になったのか。」

「どうだ君はまだ銀行に通ってるか。」

「ウン、通ってるけれども少も面白くない。」

「どうしてや？」と僕は驚いて聞いた。

「どうしてと言う訳もないが、君なら三日と辛棒が出来ないだろうと思う。第一僕は銀行業からして僕の目的じゃないのだもの。」

二人は話しながら歩いた、車夫のみ先へやり。

「何が君の目的だ。」

「工業で身を立つる決心だ。」と言って正作は微笑し、「僕は毎日この道を往復しなが

ら色々考えたが、発明に越す大事業はないと思う。」

ワット(15)やステブンソン(16)やエジソン(17)は彼が理想の英雄である。そして西国立志編は彼の聖書である。

僕の黙言て頷くを見て、正作は更に言葉をつぎ
「だから僕は来春は東京へ出ようかと思って居る。」

「東京へ？」と驚いて問い返した。

「そうサ東京へ。旅費は最早出来たが、彼地へ行って三月ばかりを食べるだけの金を持て居なければ困るだろうと思う。だから僕は父に頼んで来年の三月までの給料は全部僕が貰うことにした。だから四月早々は出立るだろうと思う。」

桂正作の計画は総てこの筆法である。彼は随分少年に有勝な空想を描くけれども、計画を立ててこれを実行する上については少年の時から今日に至るまで、少しも変らず、一定の順序を立てて一歩一歩と着々実行して遂に目的通りに成就するのである。無論これは西国立志編の感化でも有う、けれども一つには彼の性情が祖父に似て居るからだと思われる。彼の祖父の非凡な人であったことを今ここで詳しく話すことは出来ないが、その一を言えば真書太閤記(18)三百巻を写すに十年計画を立てて遂に見事写し終ったことがある。僕も桂の家でこれを実見したが今でもその気根の大いなるに驚いて居る。正作は

確にこの祖父の血を受けたに違いない。もしくはこの祖父の感化をうけただろうと思う。

途上種々の話で吾々二人は夕暮に帰宅し、その後僕は毎日のように桂に遇って互に将来の大望を語り合た。冬期休暇が終り愈々僕は中学校の寄宿舎に帰るべく故郷を出立する前の晩、正作が訪ねて来た。そして言うには今度会うのは東京だろう。三、四年は帰郷しない積りだからと。僕もその積で正作に離別を告げた。

明治二十七年の春、桂は計画通りに上京し、東京から二、三度手紙を寄したけれど、何時も無事を知らすばかりで別に着京後の様子を告げない。また故郷の者誰も如何して正作が暮して居るか知らない、父母すら知らない、ただ何人も疑がわないことが一つあった。曰く桂正作は何等かの計画を立ててその目的に向って着々歩を進めて居るだろうという事実である。

僕は三十年の春上京した。そして宿所が定まるや、早速築地(19)何町何番地、何の某方という桂の住所を訪ねた。この時二人は既に十九歳。

下

午後三時頃であった。僕は築地何町を隅から隅まで探して、漸くのことで桂の住家を探し当た。容易に分らぬも道理、某方というその某は車屋の主人ならんとは。兎ある横町の貧げな家ばかり並んで居る中に挟って九尺間口の二階屋、その二階が「活る西国立志編」君の巣である。

「桂君という人が貴様の処に居ますか。」

「ヘイ居らっしゃいます、あの書生さんでしょう」との山の神[20]の挨拶。声を聞きつけてミシミシと二階を下りて来て「ヤア」と現われたのが、一別以来三年会わなんだ桂正作である。

足も立てられないような汚い畳を二、三枚歩いて、狭い急な階子段を登り、通された坐敷は六畳敷、煤けた天井低く頭を圧し、畳も黒く壁も黒い。

けれども黒くないものがある。それは書籍。

桂ほど書籍を大切にするものは少ない。彼は如何なる書物でも決して机の上や、座敷の真中に放擲するようなことなどは仕ない。こう言うと桂は書籍ばかりを大切にするようなれど必ずしもそうでない。彼は身の周囲のもの総を大事にする。

見ると机も可なり立派。書籍箱も左まで黒くない。彼はその必要品を粗略にするほど、東洋豪傑風の美点も悪癖も受けて居ない。今の流行語で言うと、彼は西国立志編の感化を受けただけに頗るハイカラ[21]的である。今にして思う、僕はハイカラの精神の我が桂正作を支配したことを皇天(22)に感謝する。

机の上を見ると、教科書用の書籍その他が、例の如く整然として重ねてある。その他周囲の物総てが皆なその処を得て、キチンとして居る。

室の下等にして黒く暗憺たるを憂うる勿れ、桂正作はその主義と、その性情に依って、総てこれらの黒くして暗憺たるものをば化して純潔にして高貴、感嘆すべく畏敬すべきものと為して居るのである。

彼は例の如く最も快活に胸臆を開いて語った。僕の問うがまにまに上京後の彼の生活をば、恥もせず、誇りもせず、平易に、率直に、詳しく話して聞した。

彼ほど虚栄心の少ない男は珍らしい。その境遇に処し、その信ずる処を行のうて、それで満足し安心し、そして勉励して居る。彼は決して自分と他人とを比較しない。自分は自分だけのことを為して、運命に安んじて、そして運命を開拓しつつ進んで行く。

一別以来、正作の為したことを聞くと実にこの通りである。僕は聞いて居る中にも益々彼を尊敬する念を禁じ得なかった。

彼は計画通り三ケ月の糧を蓄えて上京したけれども、坐してこれを食う男ではなかった。

何がな面白い職を得たいものと、先ず東京中を足に任かして遍巡り歩いた。そして思いついたのは新聞売と砂書き(23)。九段の公園(24)で砂書きの翁を見て、彼は直ちにこれと物語り、事情を明して弟子入を頼み、それより二、三日の間稽古をして、間もなく大道の傍に坐り、一銭、五厘、時には二銭を投げて貰って出鱈目を書き、幾銭かずつの収入を得た。

ある日、彼は客のなき儘に、自分で勝手なことを書いては消し、ワット、ステブンソン、などいう名を書いて居ると、八歳ばかりの男児を連れた衣装の善い婦人が前に立った。「ワット」と児供が読で、「母上、ワットとは何のこと？」と聞いた。桂は顔を挙げて小供に解り易いようにこの大発明家のことを話して聞し、「坊様も大きくなったらこんな豪い人におなりなさいよ。」と言った。そうすると婦人が「失礼ですけれど」と言いつつ二拾銭銀貨を手渡して立ち去った。

「僕はその銀貨を費わないでまだ持て居る」と正作は言って罪のない微笑をもらした。

彼はかく労働して居る間、その宿所は木賃宿(25)、夜は神田の夜学校に行って、専ら数学を学で居たのである。

日清の間が切迫して来るや、彼は直ぐと新聞売になり、号外で意外の金を儲けた。

かくてその歳も暮れ、二十八年の春になって、彼は首尾よく工手学校(26)の夜学部に入学し得たのである。

かつ問いかつ聞いて居る中に夕暮近くなった。

「飯を食いに行こう!」と桂は突然言って、机の抽斗から手早く蟇口を取出して懐へ入れた。

「どこへ?」と僕は驚いて訊ねた。

「飯屋へサ」と言って正作は立かけたので

「イヤ飯なら僕は宿屋へ帰って食うから心配しないほうが可いよ。」

「まアそんなことを云わないで一所に食い給えな。そして今夜はここへ泊り給え。まだ話が沢山残って居る。」

僕もその意に従がい、二人して車屋を出た。路の二、三丁[27]も歩いたが、桂はその間も愉快に話ながら、国元のことなど聞き、今年の中に一度故郷に帰りたいなど言って居た。けれども僕は桂の生活の模様から察して、三百里外の故郷へ往復することの到底、言うべくして行うべからざるを思い、別に気にも留めず、帰れたら一度帰って父母を見舞い給え位の軽い挨拶を為て置いた。

「ここだ!」と言って桂は先に立って、縄暖簾を潜った。僕は喫驚して、暫時ためらって居ると中から

「オイ君!」と呼んだ。為かたが無いから入ると、桂は程よき場処に陣取って笑味を

含んで此方を見て居る。見廻わすと、桂の外に四、五名の労働者らしい男が居て、長い食卓に着いて、飯を食う者、酒を呑むもの、殊の外静粛である。二人差向いで卓に倚るや

「僕は三度三度ここで飯を食うのだ。」と桂は平気で言って「君は何を食うか。何でも出来るよ。」

「何でも可い、僕は」

「そうか、それでは」と桂は女中に向って二、三品命じたが、その名は符牒(28)のようで、僕には解らなかった。暫時くすると、刺身、煮肴、煮〆(29)、汁などが出て飯を盛った茶碗に香物。

桂は美味そうに食い初めたが、僕は何となく汚らしい気がして食う気にならなかったのを無理に食い初めて居ると、思わず涙が逆上げて来た。桂正作は武士の子、今や彼が一家は悲運の底にあれど、要するに彼は紳士の子、それが下等社会と一所に一膳めしに舌打ち鳴らすか、と思って涙含んだのではない。決してそうではない。いやいやながら箸を取って二口三口食うや、卒然、僕は思った、ああこの飯はこの有為なる、勤勉なる、独立自活して自ら教育しつつある少年が、労働して儲け得た金で、心ばかりの馳走をして呉れる好意だ、それを何ぞや不味そうに食うとは！　桂はここで三度の食事をするで

はないか、これを慊々ながら食う自分は彼の竹馬の友と言わりょうかと、そう思うと僕は思わず涙を呑だのである。そして僕は急に胸がすがすがして、桂と共に美味く食事をして、縄暖簾を出た。

その夜二人で薄い布団に一所に寝て、夜の更けるのも知らず、小さな豆ランプの覚束ない光の下で、故郷のことや他の友の上のことや、将来の望を語り合ったことは僕今でも思い起すと、楽しい懐しいその夜の様が眼の先に浮んで来る。

その後、僕と桂は互に往来して居たが早くもその年の夏期休課が来た。すると一日、桂が僕の下宿屋へ来て、

「僕は故郷へ帰て来うかと思う。実は最早決定て居るのだ。」という意外な言葉。

「それは可いけれども君……」と僕は直ぐ旅費等のことを心配して口を開くと

「実は金も出来て居るのだ。三十円ばかり貯蓄して居るから、往復の旅費と土産物とで二十円有ったら可かろうと思う。三十円悉皆費って了うと後で困るからね。」というのを聞て僕は今更ながら彼の用意のほどに感じ入った。彼の話に依ると二年前から既に帰省の計画を立ててその積で貯金したとのこと。

どうだ諸君！　こういうことは出来易い様で、なかなか出来ないことだよ。桂は凡人だろう。けれどもその為すことは非凡ではないか。

そこで僕も大に歓んで彼の帰国を送った。彼は二年間の貯蓄の三分の二を平気で擲って、錦絵(30)を買い、反物を買い、母や弟や、親戚の女子供を喜ばすべく、欣々然(31)として新橋(32)を出立った。

翌年、三十一年に目出度学校を卒業し、電気部の技手として横浜の会社に給料十二円で雇われた。

その後今日まで五年になる。その間彼は何をしたか。ただその職分を忠実に勤ただけか。そうでない！

彼は大いなる事を為て居る。彼の弟が二人あって、二人とも彼の兄、逃亡した兄に似て手に合わない突飛物(33)、一人を五郎と云い、一人を荒雄という、五郎は正作が横浜の会社に出たと聞くや、国元を飛び出して、東京に来た。正作は五郎の為めに、所々奔走してあるいは商店に入れ、あるいは学僕(34)としたけれど、五郎は到る処で失敗し、到る処を逃出して了う。

然ども正作は根気よく世話をして居たが、遂に五郎を自分の傍に置き、種々に訓戒を加え、西国立志編を繰返して読し、そして工手学校に入れて了った。わずかの給料で自から食い、弟を養い、三年の間、辛苦に辛苦を重ねた結果は三十四年に至って現れ、五郎は技手と成て今は東京芝区(35)の某会社に雇われ、真面目に勤労して居るのである。

荒雄もまた国を飛び出した。今は正作と五郎と二人でこの弟の処置に苦心して居る。

今年の春であった。夕暮に僕は横浜野毛町[36]に桂を訪ねると、宿の者が「桂さんはまだ会社です」と言うから、会社の様子も見たく、その足で会社を訪うた。

桂の仕事を為て居る場処に行って見ると、僕は電気の事を詳しく知らないから十分の説明は出来ないが、一本の太い鉄柱を擁して数人の人が立て居て、正作は一人その鉄柱の周囲を幾度となく廻って熱心に何事か為て居る。最早電燈が点て白昼の如くこの一群の人を照して居る。人々は黙して正作の為る処を見て居る。器械に狂の生じたのを正作が見分し、修繕して居るのらしい。

桂の顔、様子！　彼は無人[37]の地に居て、我を忘れ世界を忘れ、身も魂も、今その為しつつある仕事に打込んで居る。僕は桂の容貌、かくまでに真面目なるを見たことがない。見て居る中に、僕は一種の荘厳に打れた。

諸君！　何卒か僕の友のために、杯をあげて呉れ給え、彼の将来を祝福して！

日の出

某法学士洋行の送別会が芝山内の紅葉館(1)に開かれ、会の散じたのは夜の八時頃でもあろうか。その崩が七、八名、京橋区弥左衛門町(2)の同好倶楽部(3)に落合ったことがある。

小介川文学士が伴うて来た一人の男を除いては皆なこの倶楽部の会員で、その一人はオックスホード大学(4)の出身、その一人はハーバード大学(5)の出身など、皆なそれぞれの肩書を持て居る年少気鋭、前途有望という連中ばかり。卓を囲んでてんでに吐き出す気焔の猛烈なるは言うまでもないことで、政論あり、人物評あり、経済策あり、時に神学の議論まで現われて一しきりはシガー(6)の煙の烽々濛々たる中に六、七の人面が隠見出没して、甲走った肉声の幾種が一高一低、縦横に入り乱れ、これに伴う音楽はドスンと卓を打つ音、ゴトゴトと床を蹶る音、そして折り折り冬の巷を吹き荒す北風の窓ガラスを掠める響である。時々使童が出入して淡白の食品、勁烈(7)の飲料を持運んで居た。ストーブは熾に燃えて居る——

「貴殿はどこの御出身ですか」と突然高等商業[8]出身の某、今はある会社に出て重役の覚目出度き一人の男が小介川文学士の隣に坐って居る新来の客に問いかけた。勝手な気焔もやや吐き疲ぶれた頃で、蓋し話頭を転じて少し舌の爛れを癒そうという積りらしい。人々も同意と見えて一時に口を閉たけれど、その中の二、三人は別にこの問に気を止めず、ソファに身を埋めてダラリと手を両脇に垂れ、天井を眺めて眼を細くして居る者もあれば、シガーをパクパクふかして居る者もある。一人は毒瓦斯を抜くべく起って窓を少し開けた。余の人々は新来の客に目を注いだ。

「僕ですか、僕は」と言い澱んだ男は年の頃二十七、八、面長な顔は浅黒く、鼻下に濃き八字髭あり、人々の洋服なるに引違えて羽織袴という衣装、今は都下で最も有力なる某新聞の経済部主任記者たり、次の総撰挙には某党より推れて議員候補者たるべき人物、児玉進五とて小介川文学士は既に人々に紹介したのである。

児玉は先程来、多く口を開かず、微笑して人々の気焔を聴て居たが、今突然出身の学校を問われたので、一寸口を開き得なかったのである。

「僕の出た学校をお尋ねになるのですか。」と児玉は語を続うとして、更にこう問うた。

「そうです。君の出られた学校です。三田[9]ですか、早稲田[10]ですか。」と高等商業の紳士はこの二者を出じという面持で問うた。

「違います」と児玉は微笑した。

「オオそうですか。どこです。」

「大島学校です。」

「大島学校？　聞たことのない学校ですな、お国の学校ですか。」

「そうです、故郷の小学校です、私立小学です」と言った時の児玉の顔は真面目であったけれど、人々は笑い出した。

「戯談を言っては困ります。だから新聞記者は人が悪い。人が真面目で聞くのに。」と高商紳士は短くなったシガーをストーブに投げ込んだ。

「僕も真面目で答えたのです。全く僕は大島小学校の出身です。故意と奇妙な答をして諸君を驚かす積は決して持ないので。これまでも僕は出身の学校を聞れましたが、初から答えない時もあり、答える時は何時この答をするです。」

「そうすると貴殿は小学校以外の教育はお受にならんかったのですか。と申すと失敬ですがその以外の学校にはお入にならなかったのですか」とソファに掛けて居たオックスフォード出身の紳士が身を起して聞いた。その口元には何となく嘲笑の色を浮べて居る。

「そうです、僕はオックスフォードにもハーバードにも帝国大学(11)にも早稲田にも三田にも高等商業学校にも居たことは無いのです。ただ故郷の大島小学校を出たばかりです。こう申すと、諸君は妙にお取になるかも知れませんが、僕はこれでも窃かに大島小学校出身ということを誇って居るのです。また心から感謝して居るので御座います。僕は不幸にして外国に留学することも出来ず、大学に入ることも出来ず、ですから僕の教育、所謂教育なるものは不完全なものでしょう。

けれどもなお僕は大島小学校の出身なることを、諸君の如き立派な肩書を持て居らる る中で公言して少も恥ず、むしろ誇って吹聴したくなるです。

問われなければ黙って居ます。問われても言うて益なき仲間に向っては黙って居ます。けれども諸君の如き教育高き紳士に問われては実に真面目に僕は大島小学校の出身ということを公言するのです。

早稲田を出たものは早稲田を愛し、大学を出たものは大学を愛するのは当然で、諸君も必ずその出身の学校を愛しかつ誇らるるでしょう。その如く僕は故郷の大島小学校を愛しかつその出身たることを誇るのです。」

「そうです、僕も故郷の小学校を愛します。」と言ったのはハーバード出身の紳士。

「そして誇りますか。そしてその出身たることを感謝しますか」と問い返えした児玉の口調はやや激して居た。

「そうです。」

「何故ですか」と問うた児玉の眼は輝いた。

「イヤそう真面目に問われては困る。僕は小児の時を回想して当時の学校を懐しく思うだけの意味で言ったのです」とハーバードは罪のない微笑を浮べて言訳した。

「解りました。それだけの意味なら解りました。けれども貴殿がそういうことを申されるのも要之、僕が一の小さな小学校の出身であることを誇るとか、感謝するとか言うのは、矯激の言を弄して自ら欺むきまた自ら快とする者のように取って居らるるからだろうと思います。しかし、僕は決してそういう軽薄な心を以て言うのではないのです。もし諸君の中、僕と同じく大島小学校に居られた方が有たなら、矢張僕と同じような情を持れるだろうと信じます。

　大島小学校に居たものが、今東京に三人居ます。これが僕の同窓です。この三人が集まる会が僕等の同窓会です。その一人は三田を卒業して今は郵船会社(12)に出て居ます。その一人は法学士となって今は東京地方裁判所(13)の判事をして居ます。けれども彼等二人は僕と同じく大島小学校出身なることを今でも僕と同じように誇りかつ感謝して居るのです。そして僕等は月に一度同窓会を開いて一夕を最も清く、最も楽しく語りかつ遊ぶのです。」

児玉の言々句々、肺腑より出で、その顔には熱誠の色動いて居るのを見て、人々は流石に耳を傾けて謹聴するようになった。

オックスホード出身の紳士は年長者だけに分ても児玉の言う処に感じた体で、

「それほどに言われますからには、その大島小学校とやらいう学校には何か特種の事があって、貴殿の心をそれほどまでに動かして居るのだろうと思われます。それをお話し下さいませんか。ね、諸君、それを聞かして戴だこうではないか。」

「そうとも、児玉さん僕の言ったことはお気に触らんように願います。何卒その大島小学校のことを話して貰いたいものです」とハーバードは前言のお謝罪にオックスホードに賛成した。

「諸君がお聴下さるなら申します、強ては申しません。余り面白ろい話ではないですから。真面目な事実は流行の小説とは少し趣を異にしますから」と児玉は微笑を洩らして「小説も面白う御座います。けれ共事実は更に面白う御座います。」

「是非お話を願いたいものです」とハーバードは乗気になった。

「宜しゅう御座います、それではお話ししましょう。」

僕の十二の時です。僕は父母に従って暫く他国に出て居ましたが、父が官を辞すると共に、故郷に帰りまして、僕は大島小学校というに入りました。

海岸から三、四丁(14)離れた山の麓に立て居るこの小学校は見た所決して立派なものではありません。特に僕の入った頃は粗末な平屋で、教室の数も四、五しか無かったのです。それで他国の立派な堂々たる小学校に居て急にそんな見すぼらしい学校に来た僕は子供心にも決して愉快な心地は為なかったのです。

けれども僕の故郷は二万石(15)の大名の城下で、県下ではほとんど言うに足らぬ小な町、特に海陸共に交通の便を最も欠て居ますから、純然たる片田舎で、日本全国津々浦々までも行わたって居る筈の文明の恩沢も僕の故郷にはその微光すら認め得なかったのです。学校というのはこの大島小学校ばかり、その以外にはいろはのいの字も学ぶ場所はなかったので御座います。僕も初は不精不精に通って居ました。

校長の名は大島伸一、その頃わずかに二十七、八でしたろう。背は左まで高くはないが、骨太の肉附の良い、丸顔の頭の大きな人で眥が長く切れ、鼻高く口緘り、柔和の中に威厳のある容貌で。生徒は皆な能く馴れ親しんで居ました。僕がこの校長の下に大島小学校に居たのは二年半で、月日にすれば言うに足らず、十二歳より十五歳まで、人の年齢にすれば腕白盛でありましたけれど、僕が真の教育を受けたのはこの時、僕の一生の羅針盤を置れたのは実にこの時です。

僕が大島学校に上ってから四、五日目で御座いました、四十を越えた位の一人の男が学校の運動場に来て、校長と頻りに何事か話して居ましたが、その周囲に七、八名の生徒が立って居て、顔を上て二人の物語を聞て居ました。暫くしてその男は丁寧にお辞儀を為て、校長も至極丁寧に礼をして、そして二人は別れました。

僕は子供心にもこの様子を見て不審に思ったというは、その男の衣服から風采から挙動までが、一見百姓です、純然たる水呑百姓という体裁です、けれども校長の之に対する様子は郡長様に対する程の丁寧なことなので、既に浮世の虚栄心に心の幾分を染められて居た僕の目には全く怪しく映ったのです。

けれども家に帰って別にこの事を父にも問わず、学校朋輩にも聞きませんでした。

一月経たぬ内に自然とこの不審が晴れて来ました。四十男の水呑百姓と思ったのは、学校より十町(16)ばかり隔だって居る松林の奥に一構の宅地を擁し、米倉の三棟を並べて居る百姓、池上権蔵という男で、大島小学校の創立者、恩人、保護者であったのです。それならば何故、池上小学校と名称ずして大島小学校という校長と同姓の名称を付けたか、諸君も必ず不審に思われるでしょう。これにはまた意味の深い理由が有るのです。

僕がこの小学校に入るわずか四年前にこの学校は創立されたので、それより更に十年前のこと、正月元日の朝でした、新年の初光は今将に青海原の果よりその第一線を投げ、東雲(17)の横雲は黄金色に染り、沖なる島山の頂は紫嵐(18)に包まれ、天地見るとして清新の気に充たされて居る時、浜は寂寞として一の人影なく、穏かに寄せては返えす浪を弄し、また弄されて千鳥の群は岩より岩へと飛びこうて居ましたが、かかる際にも絶望の底に沈んだ人の心は益々闇を求めて迷うものと見え、一人の若者ありて、蒼ざめた顔を襟に埋め、一の岩角に蹲居って頻りと吐息を洩して居ました。彼はその覚悟を決めながらお、躊躇うて居たのです。

人の足音に驚ろいて後を振返ると一人の老人が近づいて来る処です。老人が傍に来て、「日が今昇るのを見なさい、何と神々しい景色ではないか」と優しく言葉をかけるまで、若者は何を思う暇もなく、ただ茫然と老人の顔を見て居たのです。

「見なさい今だ、今が初日出だ」と老人は言いつつ海原遠く眺めて居るので、若者も連られて沖を眺めました、真紅の底に黄金色を含んだ一団球は今しも半天際を躍出でて、暫したゆとうて居る様です。

「神々しいじゃアないか、人間というものは何時でもこの初日出の光を忘れさえ為なければ可いのじゃ」と老人は感に堪えぬように言って手を合して静かに礼拝しました。若者も思わず手を合わしました。見るが中に日は波間を離れ、大空も海原も妙なる光に満ち、老人と若者は恍惚としてこの景色に打れて居ました。

「私は六十になるがこんな立派な日の出を見たことはない。来年はこれよりも美くしい初日の出を拝みたいものだ。ああ佳い心持じゃ」と老人は言って更に若者に向い「お前さんはどこの者じゃ」と問いました。

「村の者で御座います。」と若者はわずかに答えました。老人はその柔和な顔に微笑を浮べて

「毎年初日の出を拝みに出るのか。」

「そうでは御座いません。」

「そうか、それでは今年が初めてだの。昔からも一年の謀は元旦にありというから、お前さんも、今日の日の出を忘ないで居なさい。如何じゃ大変顔の色が悪いようじゃがそんな元気のない顔色をして居ては世の中を渡れるものではない、一同に日の出を拝んだも目出度い縁じゃ、これから私の宅へ来るが可い、雑煮でも祝おう。」

老人は先に立て行くので若者もその儘後に従き、遂に老人の宅に行ったのです、砂山を越え、竹藪の間の薄暗き路を通ると士族屋敷に出る、老人はその屋敷の一に入りました。

老人の名は大島仁蔵、若者の名は池上権蔵であるということを言えば、諸君は、既に大概の想像はつくだろうと思います。

老人は若者の自殺の覚悟を最初から見て取って居たのですけれども最後まで直接にそ

うとは一言も言いませんでした。

屠蘇(19)を飲ましながら、言葉静かに言って聞かした教訓は決して珍らしい説ではなかったのです。少し理屈を並べる男なら誰でも言い得ることなんでした。

朝日が波を躍出るような元気を人は何時も持て居なければならぬ。

だから人は何時も暗い中から起て日の出を拝むように心掛けなければならぬ。

そして日の入まで、手あたり次第、何でも御座れ、その日に為るだけの事を一心不乱に為なければならぬ。

日は毎日、出る、人は毎日働け。そうすれば毎晩安らかに眠られる、そうすれば、その翌日はまた新しい日の出を拝むことが出来る。

一日働いて一日送れば、それが人の一生涯である、日の出る時に人は生れて、眠る時に人は死ぬるのである。

老人の言い聞かした言葉は先ずこんなものでありました。そして権蔵は奮い起って老人の下を去ったのです。

池上権蔵はこの日から生れ更りました、元より強健な体軀を持て居て元気も盛な男ではありましたが、放蕩に放蕩を重ねて親譲の田地はほとんど消えて無くなり、家、屋敷まで人手に渡りかけたので、遂に失望落胆し、今更ら世間へも面目なく、果は思い迫って大いに決心して居たのです。けれども彼はこの日から生れ更りました。一日また一日、彼は稼ぎに稼ぎ、百姓は勿論、炭も焼ば、材木も切り出す、養蚕もやり、地木綿も織るし、凡そ農家の力で出来ることなら、何でも手当次第、そして一生懸命にやりました、五年目には田地も取返し、畑は以前より殖え、山懐の荒地は見事な桑園と変じ、村内でも屈指の有富な百姓と成り終せたのです。しかも彼の労働辛苦は初と少も変らないのです。

大島老人の病床に侍して、最後の教訓を彼が求た時、老人は静かに

「お前さんは日の出を覚えて居なさるか。」

「毎朝拝んで居ります。」

「お前さんは日の出の盛な処を見て、元気でよく働らいたのは宜しい、これからは、その美くしい処を見て、美くしい働をも為るが可かろう。美しい事を。」

権蔵は暫く考がえて居たが、

「それでは先ず如何な事を為せば可ろしゅう御座いましょう。」と問いました。老人は目を閉じたまま、

「それはお前さんが考がえなければならん、お前さんの心で、これは美くしいことだと思うこと、日の出を見てああ美しいと思うと同じような事ならば、何でも宜しい。お

前さんは日の出を拝むだろう。」

「へイ拝みます。」

「それなら拝まれるほどのことをなさい。」

「及びもつかん事で御座ります、勿体ないことで御座ます。」と権蔵は平伏しました。

「イヤそうでない、お前さんは日の出の元気を忘れましたか。」

と言われて権蔵は、「解りました、難有う存じます」と言ったぎり、感泣して暫らくは頭を得上げませんでした。

大島仁蔵翁の死後、権蔵は一時、守本尊を失った体で、頗る鬱々で居ましたが、それも少時で、たちまち元の元気を恢復し、のみならず、以前に増て働き出しました。

鬱々で居たのは考がえて居たのです、彼は老人の最後の教訓を暫時も忘れることが出来ないので、拝まれる程の美くしい事を為るには何を為たら可かろうと一心に考がえたのです。神々しき朝日に向って祈念を凝したこともあったのです。ふと、思い当った時には彼は思わず躍り上って喜んだそうです。「自分は大島先生を拝んでもなお足りない程に思う、それならば大島先生のようなことを為ればよい。」

そこで学校を建る決心が彼の心に湧たのです、諸君は彼の決心の余り露骨で、単純なことを笑われるかも知れませんが、しかし元来教育のない一個の百姓です、むしろその心ばせの真率で無邪気な処を思えば実に美しさを感ずるのです、僕は。

兎も角もこの決心が定まるや、彼は更に五年の間真黒になって働きそして、遂に一の小学校を創立して、これを大島仁蔵の一子大島伸一に献じ、大島小学校と命名して老先生の紀念となし一切のことを若先生伸一に任して了ったのです。

以上は大島小学校の由来で御座います。けれども果して池上権蔵の志は学校を建てたばかりで、成就しましたろうか。

もし大島伸一先生を得なかったなら、この小学校もまた、世間に有りふれた者と大差なく終ったかも知れません。

しかし伸一先生は老先生の麗わしき性情を享けて更にこれを新しく磨き上げた人物としてこの小学校を監督し我々は第二の権蔵となって教導されたのです、権蔵の志は最も完全に成就されました。

忘れもしません、僕が病気で学校を休んで居ると、先生が訪て来て
「貴様は豪い人になるのだから、決して病気位に負てはならん病気を負かしてやらなければ」と言って僕を励げましたことがあります。伸一先生は決してこの意味を旧式に言ったのではありません。

「為す有る人となれ」とは先生の訓言でした。人は碌々[20]として死ぬべきでない、力の

限を尽して、英雄豪傑の士となるを本懐とせよとはその倫理でした。

人は人以上の者になることは出来ない、しかし人は人の能力の全部を尽すべき義務を持て居る。この義務を尽せば則ち英雄である、これが先生の英雄経です。

そして老先生が権蔵に告げた言葉、あれがその註解です、そして権蔵その人を以て先生は実物教育の標本としたのです。

日の出を見ろとは、大島小学校の神聖なる警語で、その堂々たる沖天の勢と、[21]その飽くまで気高かい精神と、これがこの警語の意味です。

一日また一日と、全力を尽くして働く、これがその実行なのです。

伸一先生の柔和にして毅然たる人物は、これらの教訓を童児の心に吹き込むに適して居たのです。

そして、先生もまた、一心不乱にこの精神を以て児童を導き、何時も楽げに見え、何時もその顔は希望に輝やいて居ました。

小学校生活の詳しい事は別に申しますまい。去年の夏でした、僕は久ぶりで故郷に帰って見ましたが、伸一先生は年を取ったばかり、その精神とその生活は少しも変りません、年を取ったと言った処で四十二、三ですもの、人間の働盛です。精神意気に変のある筈もないのです。

ただ老て益々その教育事業を楽み、その単純な質素な生活を楽しんで居らるるのを見ては僕も今更、崇高の念に打れたのです。

昔のまま練壁(22)は処々崩れ落ちて、瓦も完全なのは見当ぬ位それに葛蔓(23)が這い上って居ますから、一見廃寺の壁を見るようです。

その壁を越して、桑樹の老木が繁り、壁の折り曲った角には幾百年経つか、鬱として日影を遮って居る樫樹が盤居って居ます。

昔風の門を入ると桑園の間を野路のようにして玄関に達する。家はわずかに四間。以前の家を壊してその古材木で建たものらしく家の形を作て居るだけで、風致も何も無いのです。

先生はその一間を書斎として居られましたが、書籍は学校用の外、新刊物が二、三種床の上に置いてあるばかりでした。

椽辺には豆が古ぼけた細籠に入て干てある、その横に怪しげな盆栽が二鉢並べてありました。

「東京の仕事は如何です。新聞は毎々難有う、続々面白い議論が出ますなア」と先生は僕の顔を見るや口を開きました。

「イヤ如何も愚論ばかりで恥かしゅう御座います、しかしあれでも私の力一杯なのです。」

「それで十分です、力の限り書いてそれで愚論なら別に仕方も無いからな。けれども楽はあります。私はこの頃になって益々感ずることは、人は如何な場合に居ても常に楽しい心を持てその仕事をすることが出来れば、則ちその人は真の幸福な人といい得ることだ。不精不精にやった仕事に立派な仕事はない、そして一生懸命に仕事する時ほど楽いものはないようだ。」

先生のこれらの言葉はその実平凡な説ですけれど、僕は先生の生活を見てこれらの説を聞くと平凡な言葉に清新な力の含んで居ることを感じました。

伸一先生は給料を月十八円しか受取りません、それで老母と妻子、一家六人の家族を養うて居るのです。家産というは家屋敷ばかり、これを池上権蔵の資産と比べて見ると百分一にも当らないのです。

けれども先生はその家を囲む幾畝(24)かの空地を自から耕して菜園とし種々の野菜を植えて居ます。また五、六羽の鶏を飼うて、一家で用ゆるだけの卵を採って居ます。

書斎の前の小庭は奇麗に掃除がして有って、そこへは鶏も入れないようにしてあります。

先生の生活は決して英雄豪傑の風では有ません、けれども先生は真の生活をして居のです、先生は決して村学究(25)らしい窮屈な生活、ケチケチした生活はして居ません、けれど先生は自分の虚栄心の犠牲になるような生活は為て居ません。

僕は先生と対座して四方山の物語をして居ながら、熟々思いました、世に美わしき生活があるならば、先生の生活の如きは実にそれであると、先生の言論には英雄の意気の充て居ながら先生の生活は一見平凡極るものでした。

先生を訪うた、翌日でした、使者が手紙を持て来て今から生徒十数名を連れて遠足にゆくが君も仲間に加わらんかという誘引です。僕は直ぐ支度して先生の宅に駈けつけました、それが朝の六時、山野を歩き散らして帰って来たのが夕の六時でした、先生は夏期休業といえども常に生徒に近き、生徒の為めに時間を送って居らるるのです。

諸君の中、もし僕の故郷に旅行せられるようなことが有ったならば、是非一度大島小学校を訪われたいものです。海岸に近き山、山には松柏茂り、その頂には古城の石垣を残したる、その麓の小高き処に立って居るのが大島小学校であります。それが僕の出身の学校なのです、四十幾歳の屈強な体軀をした校長大島氏は、四、五人の教員を相手に二百余人の生徒に教鞭を採って居られます。

「日の出を見よ」という警語は今も昔に変りなく、あたかも日の出の力と美とが今も昔も変りのないように、全校の題目となり、目標となり、唱歌となり居るのを御覧になりましょう。

語り終って児玉は一呼吸吐くやオックスホードの紳士は

「なるほど能く解りました、日の出は力です、美です、そして実はまた希望です、僕は貴殿が大島小学校の出身であることを感謝し、誇らるることを、当然と思います。僕も一度是非お国に参って大島伸一先生にもお目にかかりとう御座ます。」

「そして、僕は池上権蔵に会って見たい」など高等商業の紳士は大真面目で言った。

「権蔵は今如何して居ますか」と問たのはハーバードである。

「そうでした、権蔵のことを言うのは忘れて居ました、益々達者に暮して居ます。大島小学校も今は村の経済で維持して居ます、がしかし村の経済の主脳は池上権蔵ですから、学校の保護者は依然としてその昔覚悟まできめた百姓権蔵であります。

権蔵の富は今や一郡第一となり、彼の手に依って色々の公共事業が行われて居るのです。けれど諸君がもし彼に会たら恐らく意外に思わるるだろうと思います。

権蔵は最早彼是六十です。けれども日の出ずる前に起きて日の没するまで働くことは今も昔も変りません。そして大島老人が彼を救うた時、岩の上に立って、

「来年はこれよりも美くしい初日の出を拝みたいものだ。」と言った言葉、その言葉を堅く覚えて居て、その精神を能く味おうて、年と共に希望を新たにし、一日また一日と

働らいて老の至るのを少しも感じない様子です。

「老を知らなければ老いず、僕は池上権蔵は死ぬるまで老ないだろうと思います、死ぬる今はの際にも、彼は更に一段の光明なる生命を望んで居るだろうと思います。不死不朽とはこのことでは御座いますまいか。

権蔵はその居間の床に大島老先生の肖像をかかげ、その横に日の出の図が下って居ます。これは仲一先生に求めて画いて貰ったのだそうです。そして大島小学校の一室には池上権蔵の肖像がかけてあります。」

*　*　*

それより一週間ばかり経って、児玉進五の宅で彼の所謂る同窓会が開かれた。

児玉はこの席で同好倶楽部の一条を話して、他の二人はただ微笑したばかり、別に何とも評しなかった。

会毎に三人は相談して必ず月に一度の贈品を大島小学校に送る、それが必ずしも立派な物ばかりではない、筆墨の類、書籍図画の類などで、オルガン一台を寄送したのが一番金目の物であった。

「今度は何を送ろう」と児玉は二人に問うた。

「矢張書籍が可かろうじゃないか」と判事が答えた。

「本なら僕が考えがある。今度会社で世界航海図の新しいのが出来たから、あれを貰って送ろう如何だね、」と郵船会社員が一案を出した。

「それも至極妙だ。けれどもその他何にしよう。」

「画は如何だろう」と判事が一案を出した。

「画も可いが最早有りふれたものばかりだからなあ。」

「実は先日、倫敦の友人から『世界の名画』と題して、随分巧妙に刷てあるのを二十枚ばかり贈って呉れたがね、それは如何だろうかと思うのだ。」

「可かろう！」と他の二人は賛成した。

「そこで例の唱歌の一件だがね、僕は色々考がえたが今更唱歌にも及ぶまいと思うのだ如何だろう。「日の出を見ろ」で沢山じゃアないか。それをなまじっか今の歌人に頼んで作らした所でありふれた、初日の出の歌などは感心しないぜ。もし作くるなら学校から出た者が作ったのでなければ、とても「日の出を見ろ」の一語で我等が感ずるような物は出来ないぞ、如何だろう？」と児玉の説いたのに二人は異議なく賛成し、児玉は二人の前で大島校長宛にすらすらと次の手紙を書いた。

「御依頼の唱歌の件は我等三人とも同意致し兼ね候。東京にも歌人の大家先生は沢山あれど我等のやうに先生の薫陶を受け大島小学校の門に学び候ものならで、能く我等の精神感情を日の出の唱歌に歌ひ出し得るもの有るべきや、甚だ覚束なく存候。我等の学校も何時かは真の詩人出づることあらん。その時までは矢張り「日の出を見ろ」で十分かと存候。日の出の唱歌を歌ふて朝寐坊する人物が学校から出るやうになりては何の益にも立つまじく、其辺御賢慮願上候。」

三人は連名でこの手紙を出した、大島先生から直ぐ返事が来て

「御主意御尤に候。日の出の唱歌は思ひ止まり候。浅ましい哉。教室に慣れ候に従がつて、心よりも形を教へたく相成る傾き有之、以後も御注意願上候。」

運命　終

注　解

芦川貴之

運命論者

（1）**滑川**　鎌倉東部の谷を水源とし、鎌倉市街を流れて相模湾へそそぐ川。

（2）**ソハ**　sofa（英）。ソファー。寝椅子。

（3）**間**　尺貫法の長さの単位。一間は六尺（約一・八メートル）。

（4）**歩武**　あしどり。あゆみ。

（5）**亀屋**　東京の玄関口である新橋停車場近くの、東京京橋区竹川町（現、中央区銀座七丁目）にあった洋酒や食料品を主とする直輸入商、亀屋鶴五郎の店。

（6）**インフィニテー**　infinity（英）。無限。無窮。

（7）**左なきだに**　そうでなくてさえ。

（8）**控訴院の判事**　控訴院は旧憲法下の裁判所の一つで、大審院の下級、地方裁判所の上級にあり、東京をはじめ全国七か所に置かれた。主に民事・刑事の控訴を管轄した。現在の高等裁判所に相当し、第二審の審理を合議で行ったが、その判事になるには一定年限以上判検事、弁護士等の職を務めなければならなかった。

(9) **岡山中学校** 寛文六年(一六六六)に岡山藩主池田光政が創設した「仮学館」を起源とする岡山県岡山(尋常)中学校。中学校は小学校の課程を修了した男子のための学校。

(10) **麴町** 皇居およびその周辺区域を占める麴町区(現、千代田区)の町名。半蔵門外から四谷に向かう通り(現、新宿通り)の両側町。

(11) **神田の法律学校** 麴町区の北東に位置する神田区(現、千代田区)には、現在の私立大学の前身である法律学校が多くあった。

(12) **周防** 旧国名。現在の山口県東部。防州。

(13) **家督** 旧民法下における、戸主の身分に伴うあらゆる権利義務。

(14) **京橋区** 現在の東京都中央区南部。

(15) **所夫** 妻にとっての夫。所天。

(16) **不動明王** 五大明王の一つで不動尊とも。怒った顔つきをし、右手に剣、左手に縄状の仏具を持ち、火炎を背に座る。世俗的な信仰の対象となっている。

(17) **密夫** 夫を持つ女がひそかに肉体関係を結んだ相手の男。

巡査

(1) **巡査** 警察官の階級の最下位。公安の維持、犯罪の捜査・逮捕などの仕事をする。明治初年、「邏卒(らそつ)」などとされていた警察官の名称が、明治七年(一八七四)東京で「巡査」に統一され、以降、全国に広がった。

(2) **のべつに行る**　ここでは、間を置かずにしゃべり続ける、の意。
(3) **指物屋**　板を組み立てて作る机や箪笥などの家具を製造販売した家。
(4) **作出し**　部屋に張り出して作られたもの。
(5) **間**　「運命論者」注(3)を参照。
(6) **鼠いらず**　鼠が入らないように作った食器や食品を収納する戸棚。
(7) **違棚**　二枚の棚板を、高さを違えて左右に取り付けた棚。
(8) **蓋物**　蓋つきの容器。特に陶器を指す。
(9) **厨炉**　一般に「焜炉」と書く。炊事などに用いる可動式の加熱器具。
(10) **石崎**　神戸・灘に醸造場を置き、大阪に本店を構えていた石崎合資会社。
(11) **沢之鶴**　石崎から発売されていた酒の銘柄。
(12) **キ印**　喜印。沢之鶴よりもやや安価な石崎の酒の銘柄。
(13) **混成酒**　アルコールに果汁や調味料などを加えた飲料。
(14) **治跡**　政治上の功績。
(15) **神機妙道**　人知でははかり知れない不思議な働きや正しい生き方。
(16) **夫子**　長老・賢者・先生の尊称。ここでは孔子を指す。以下は経書『礼記』「中庸」の言葉。
(17) **幼学便覧出来**　漢詩制作の手引書『幼学便覧』にならって出来あがった、型にはまった作品。
(18) **飛紅**　散った花びら。

(19) **下田歌子**　一八五四—一九三六年。明治から昭和前期の歌人、教育家。「下田歌子さんの歌」は、宮中出仕初期に「春月」の題で詠み、歌名を高めた「手枕は花のふぶきにうづもれてうたたねさむし春の夜の月」を指す。

(20) **権門**　権力を持つ役人。以下の詩は、「権力をもつ役人は、夜になると上役に媚びへつらい、朝には意気揚々としている。人々が罵倒するのを妻や妾は知らず、俗塵にまみれた髯面はいかにも醜い」の意。

(21) **故山**　故郷の山。以下の詩は、「故郷の山々の美しい光景を久しく見ない。僅かな給料で他郷に官吏となり、反省もなく暮らしている。ホトトギスの鳴き声が栄利栄達の夢を醒まし、その声は故郷に帰るに如かずと呼びかける」の意。

酒中日記

(1) **馬島**　山口県熊毛郡麻里府村(現、田布施町)に属する島。

(2) **八雲小学校**　東京荏原郡碑衾(ひぶすま)村(現、目黒区)八雲尋常高等小学校。尋常小学校は、満六歳以上の児童に初等普通教育を施した義務教育の学校。高等小学校は、尋常小学校を修了した者に対し、さらに程度の高い教育を施すことを目的とした学校。当時の修業年限は尋常四年、高等二、三または四年であった。尋常高等小学校は、尋常小学校と高等小学校の併置校。

(3) **日清戦争**　明治二七年(一八九四)夏に開戦した朝鮮の支配をめぐる清国(現、中華人民共和国)との戦争。日本の連戦連勝の末に清国が講和に動き、翌二八年四月、下関で講和条約を締結。

(4) **赤坂区新町**　現在の港区赤坂三、五、七丁目にわたる区域を占めた町名。隣の一ツ木町や檜町には兵営があったため陸軍関係者が多かった。
(5) **素人下宿**　普通の家庭で人を下宿させること。
(6) **下士**　下士官。軍隊の階級で、准士官の下、卒(兵)の上に位置した。当時の陸軍では上から曹長、軍曹、伍長、海軍では一等・二等・三等兵曹にあたる。
(7) **干城**　楯と城。
(8) **華族**　明治二年(一八六九)、従来の公卿・諸侯の身分呼称として制定され、同一七年の華族令に基づき、国家に勲功のあったとされる者が公・侯・伯・子・男の爵位を授けられ、その中に列せられた。
(9) **淫酒**　酒にすさみおぼれること。
(10) **団栗眼**　丸くて品のない眼。
(11) **自然生の三吉**　近松門左衛門作の世話浄瑠璃「丹波与作待夜の小室節(たんばよさくまつよのこむろぶし)」に登場する馬子の少年。自然生というあだ名は、幼時両親に別れて自然に育ったことに由来する。「外に望は何にもない」は、生みの母滋野井(しげのい)に言った、親子三人で暮すこと以外に望みはないという孤児三吉の思いがこもった台詞。
(12) **さなきだに**　「運命論者」注(7)を参照。
(13) **笊碁**　打ち方の下手な碁。
(14) **義太夫**　義太夫節の略。三味線を伴奏楽器とした語り物である浄瑠璃において初代竹本義太夫が創始した代表的流派。

(15) **玉三**　近松梅枝軒、佐川藤太合作の浄瑠璃「玉藻前曦袂（たまものまえあさひのたもと）」の三段目「道春館（みちはるやかた）」の場のこと。

(16) **端近**　家の中の上がり口や縁側など外に近い所。

(17) **荒胆をひしがれた**　意想外の手段で、すっかり参らされた。荒胆を抜かれた。

(18) **お部屋様**　貴人の妾への敬称。

(19) **曹長様**　注(6)を参照。

(20) **さわり**　義太夫節の中で一番の聞かせどころ。

(21) **七屋**　質屋。

(22) **青山**　赤坂区新町などの市街地よりも西に位置する地域の総称。江戸初期に徳川家康よりこの地を拝領した青山忠成の名にちなむ。現在に至るまで広大な墓地があり、当時は練兵場も区域の一部を占めた。

(23) **東宮御所**　皇太子の御在所。現在の赤坂御用地内、青山通りの近くにあった青山御所。

(24) **左あらぬ体**　何事もないような様子。

(25) **現在の**　実の。正真正銘の。

(26) **軍曹**　注(6)を参照。

(27) **溜池**　慶長一一年(一六〇六)浅野幸長が築造した人工湖。江戸時代は赤坂御門から虎御門(虎ノ門)の西にまで及んでいたが、当時はほとんどが埋め立てられ、細長い濠と市街地とになっていた。ここではその一部を占める赤坂区溜池町(現、港区赤坂二丁目)あたりを指す。

（28）**山王台**　赤坂区溜池町、田町三、四丁目（現、港区赤坂三丁目）から溜池の濠を隔てて向い側、麹町区（現、千代田区）永田町にある高台。日吉山王権現を祀る日枝神社があることからの呼称。

（29）**日吉橋**　溜池の濠にかかっていた、山王台と赤坂の市街地とをつなぐ橋。

（30）**表町**　赤坂区表町（現、港区元赤坂一丁目、赤坂四、七、八丁目）。現在の赤坂御用地の南面をかぎ型にくまどった町。

（31）**青山の原**　現在の明治神宮外苑一帯にあった青山練兵場の原。

（32）**千両**　「両」は江戸時代の貨幣の単位。四分で一両。多額の金の意。

（33）**万斤**　斤（きん）は尺貫法の重さの単位で、一斤は一六〇匁（約六〇〇グラム）。あまりに重いこと。

（34）**左右を得た**　ここでは、物事を思い通りに動かせる状況になった、の意。

（35）**一分**　分は尺貫法の長さの単位。一〇分が一寸（約三センチメートル）。約三ミリメートル。

（36）**四谷区**　現在の新宿区南東部。青山練兵場の一部を含んだその北の行政区域。

（37）**大切**　物事の終わり。

馬上の友

（1）**士官室**　軍艦などの士官専用の居室。当時の海軍における士官（尉官）は上長官（佐官）の下、准士官の上の階級で、大尉と少尉とに分かれた。

（2）**大尉**　旧海軍で、少佐の下に位する最上位の士官（尉官）。

（3）**大連湾**　清国（現、中華人民共和国）東北部遼東半島の南東側の湾。

（4）**栄城湾**　大連の対岸に位置する山東半島の東端にある湾。日清戦争において、明治二八年（一八九五）一月二〇日前後に日本軍の威海衛攻略作戦の起点として栄城への上陸が実行された。

（5）**朔風**　北風。

（6）**舷門**　船舶の横腹にあたる舷側に設けられた出入口。

（7）**ケビン**　cabin（英）。船室。キャビン。

（8）**シガー**　cigar（英）。葉巻タバコ。

（9）**丁**　町に同じ。尺貫法の距離の単位。一町は約一〇九メートル。

（10）**筒袖**　袂のない筒状の袖がついた衣服。子供の着物や大人の寝間着、仕事着等に用いられた。

（11）**矮鶏**　江戸時代にチャンパ王国（現、ベトナム社会主義共和国）から渡来し日本特産種となった愛玩用の鶏の品種。小型で脚が短く、長い尾羽が直立している。

（12）**胡麻白頭**　黒い髪の毛に白髪のまじった頭。胡麻塩頭。

（13）**鐙**　鞍の両脇から馬の脇腹に垂らしておき、乗る際に足を踏み掛け、乗馬中に乗り手の足を支えるための馬具。

（14）**木馬**　木材で作った馬の背型の体操用具。

（15）**貫目**　尺貫法の重さの単位。一貫は一〇〇〇匁（三・七五キログラム）。

（16）**間**　「運命論者」注（3）を参照。

（17）**知行**　江戸時代、幕府や藩によって家臣に支給された領地。

（18）**石**　土地の農業生産力を米の量に換算して表示した単位。一石は米にすれば約一五〇キログラムを収穫できるほどの土地を指す。

(19) **尋常小学校**　「酒中日記」注(2)を参照。

(20) **ロビンソン漂流記**　イギリスの作家ダニエル・デフォー(Daniel Defoe, 1660–1731)作『ロビンソン・クルーソー』(*The Life and Strange Surprising Adventures of Robinson Crusoe*)。明治一六年、井上勤により『絶世奇談魯敏孫漂流記』として翻訳された。

(21) **ジュールベルヌの海底旅行**　フランスの作家ジュール・ベルヌ(Jules Verne, 1828–1905)作の空想科学小説 *Vingt mille lieues sous les mers*。『海底二万里』との邦題もあるが、日本語での初訳は明治一三年の鈴木梅太郎『二万里海底旅行』。

(22) **源平盛衰記**　鎌倉時代の軍記物語。四八巻。『平家物語』の異本の一種と見られている。

(23) **三国誌**　『三国志』。中国の三国時代の正史。長編歴史小説『三国志演義』の翻訳『通俗三国志』は読本として江戸時代から広く読まれた。

(24) **江田島の海軍兵学校**　明治二一年(一八八八)に東京築地から広島県南西部、広島湾東部の江田島に移転した海軍兵科将校養成機関。

悪　魔

(1) **青瓢箪**　やせて顔色が青く、生気のない人。

(2) **町**　「馬上の友」注(9)を参照。

(3) **登記所**　身分・戸籍や不動産などの権利に関する登記事務を取り扱う機関。法務局、地方法務局またはその支局、出張所がこれにあたる。
（4）**顧眄**　ふりかえって見ること。あちこち見まわすこと。
（5）**浄瑠璃**　「酒中日記」注（14）を参照。
（6）**琴平詣**　讃岐（現、香川県）の琴平山の中腹にある金刀比羅宮を参拝すること。お伊勢詣りと同様に広い信仰をあつめた。
（7）**伝道師**　キリスト教の布教者で正教師の資格を持たない者。
（8）**衣嚢**　衣服に縫いつけた物入れ。
（9）**飛白**　かすれたような感じを与える模様を全体に規則的に配した織物。絣。
（10）**米利堅帽**　明治末期に流行した中折れ帽子の一種。
（11）**束髪**　明治時代以降、女性の間に流行した西洋風の髪型。
（12）**丁**　「馬上の友」注（9）を参照。
（13）**間**　「運命論者」注（3）を参照。
（14）**四六版**　四六判。書籍の判型の一つで、およそ横四寸に縦六寸の大きさ。
（15）**ホワイトシャツ**　white shirt（英）。ワイシャツ。
（16）**空冥**　天。虚空。
（17）**騾馬**　通常「らば」と読む。ロバはウマ科の家畜で馬に似るが小型で、粗食・労役に耐えるため荷役用にされた。日本には明治以後に輸入された。ラバは、雄ロバと雌ウマとの交配による一代雑種。

(18) **アラビヤンナイト**　Arabian Nights(英)。アラビアを中心とした民間伝承説話を集大成したもの。『千一夜物語』。大臣の娘シェエラザードが王のために物語を千一夜つづけるという体裁で、冒険談・犯罪談・旅行談・神仙談などからなる。

(19) **化成**　ここでは、にわかづくり、の意。

(20) **自然法**　自然で客観的に成立している関係を、経験的にいい表したもの。自然法則。

(21) **基督が…嘗め尽したるもの**　ヨルダン川でヨハネより洗礼を受けたキリストは荒野で四〇日間断食し、悪魔の誘惑を退けたとされる。

(22) **団居**　家族など親しい者が集まって楽しく過ごすこと。団欒(だんらん)。

(23) **論鋒**　議論の勢い。

(24) **翩々**　軽く飛びあがるさま。

(25) **飄々蕩々**　捉えどころがなく広々としているさま。

(26) **大道**　人として守るべき道。根本の道理。

(27) **荒野の苦悶**　注(21)を参照。

(28) **「求めよ然らば与へられん、」**　明治元訳新約聖書『新約全書』(明治一四年〈一八八一〉、米国聖書)の「馬太伝」(「マタイによる福音書」)第七章第七節に由来する言葉。

画の悲み

(1) **塁を摩そうか**　腕前がもう少しで匹敵するほどになろうか。

(2) **丁**　「馬上の友」注(9)を参照。
(3) **荒胆を抜かれてしまった**　「酒中日記」注(17)を参照。
(4) **コロンブス**　Christopher Columbus(1451-1506)。イタリア生まれの航海者。大西洋を横断し中央・南アメリカに到達した、いわゆる新大陸の「発見」者。
(5) **チョーク**　chalk(英)。当時、「彩錠子(いろチヨオク)」とも呼ばれたパステルのこと。粉末顔料をつなぎ剤で固めた棒状の画材。
(6) **さなきだに**　「運命論者」注(7)を参照。
(7) **間**　「運命論者」注(3)を参照。
(8) **中学校**　旧制中学校。「運命論者」注(9)を参照。

空知川の岸辺

(1) **稠密**　ひとところに多く集まっていること。
(2) **空知川**　北海道中央部を流れる石狩川の支流。日高山脈北部と大雪山系南西部に水源を発し、富良野盆地を流れ、夕張山地北部の芦別、赤平を通り、滝川の南方、空知太で本流に合流する。
(3) **空知太**　北海道空知郡奈江村(現、砂川市)にあった北海道炭礦鉄道の駅。明治二五年(一八九二)二月、空知線の終点として開業、同三一年七月、北海道官設鉄道上川線(現、函館本線)が旭川まで開通するとともに近傍に滝川駅が開業して廃止。独歩が実際に訪れた明治二八年当時は北海道最北端の駅。札幌から鉄道で行くには岩見沢で一度乗り換える必要があった。

（4）**石狩の野**　石狩平野。北海道中央部南西寄りに位置し、石狩川下流域の広大な平原と、その北に延びる中流域を占める空知の低地帯とからなる。
（5）**歌志内**　北海道空知郡奈江村（現、歌志内市）。安政年間に空知川沿岸で露頭炭が発見され、地質調査の後、明治二三年（一八九〇）、北海道炭礦鉄道により石炭採掘と鉄道敷設工事を開始。翌二四年七月に岩見沢―砂川―歌志内間（空知線）が開業。同三〇年に奈江村から歌志内村として分離独立し、のち歌志内市となる。
（6）**某停車場**　砂川駅。ここで空知太、歌志内への二方向に分かれた。
（7）**山師**　山林、田地の売買や鉱山の採掘事業を行う者。投機的な事業で大儲けを狙う人。
（8）**三浦屋**　石狩川に合流する地点よりやや上流の空知川左岸辺りに実在した旅館。
（9）**騾馬**　「悪魔」注（17）を参照。
（10）**丈**　尺貫法の長さの単位。一丈は一〇尺（約三メートル）。
（11）**けうとき**　気疎き。なんとなく不気味な。
（12）**端なく**　思いがけずに。
（13）**人寰**　人間の住んでいる所。
（14）**御料地**　皇室の所有地。
（15）**化成**　別のものにこしらえあげること。
（16）**杣山**　材木にするための木を植えた山。
（17）**夜叉**　yakṣa（梵）。顔かたちが恐ろしく、性質が猛悪なインドの鬼神。

(18) **まめまめしき**　労をいとわず、よく働く。
(19) **丁**　「馬上の友」注(9)を参照。
(20) **間**　「運命論者」注(3)を参照。
(21) **段歩**　田や畑などの面積を数えるのに用いる語。六尺平方(一間四方)を一歩(約三・三平方メートル)、三〇歩を一畝として、一段は一〇畝すなわち三〇〇歩(約九九二平方メートル)。
(22) **属官**　上官の指揮を受けて庶務に従事する官庁の職員。
(23) **余の蕪雑なる文章**　「蕪雑」は整っていないこと。日清戦争の従軍記で名を知られた独歩自身が投影されている。
(24) **坪**　尺貫法の土地の面積の単位で、歩に同じ。注(21)を参照。
(25) **軽煙**　薄く立ちのぼる煙。
(26) **虚喝**　虚勢をはっておどかすこと。
(27) **高遠なる蒼天の…飛びゆくのである。**　この箇所はロシアの作家イワン・ツルゲーネフ(Ivan Sergeevich Turgenev, 1818–83)最晩年の作『散文詩』中「対話」の以下の一節に示唆を受けたと言われる。「対話」はヨーロッパの山岳どうしが対話するというもの。
「さあ、こんどはどう?」と、ユングフラウ。／「こんどは見える。下界はあい変らずだ。まだらで、せせこましい。水は青く、森は黒く、ごたごたと積んだ石は灰いろだ。そのまわりに、あい変らず虫けらどもがうごめいている。ほら、まだ一度もお前やおれを汚したことのない、あの二本足の虫けらさ。」／「人間のこと?」／「うん、その人間だ。」／またたくまに過ぎる幾千年。／「さあ、こんどはどう?」と、ユングフラウ。／「虫けらは、だいぶ減ったようだ」と、フィンステラールホルンがとどろく。「下界はだいぶ、はっきりしてきた。水はひいて、森もまばらだ。」／またたくまに過ぎる、またも幾千年。(神西清・池田健太郎訳『ツルゲーネフ散文詩』一九五八年、岩波文庫)

(28) **露国の詩人**　ツルゲーネフのこと。以下の二つの引用は短編小説「森林の旅」の一節。

非凡なる凡人

(1) **技手**　工業、土木建築などの高度な技術を持つ技師の下に属して、技術関係の仕事をする者。

(2) **ナポレオン**　ナポレオン一世。本名、ナポレオン・ボナパルト(Napoléon Bonaparte, 1769–1821)。フランス第一帝政の皇帝。

(3) **西国立志編**　イギリスのサミュエル・スマイルズ(Samuel Smiles, 1812-1904)の啓蒙書 *Self-Help*(『自助論』)を明治三、四年(一八七〇、七一)に啓蒙思想家の中村正直(一八三二—九一)が翻訳した際の書名。全一一冊。歴史上の人物三百数名の立志伝。明治期に広く読まれた。

(4) **日本外史**　儒学者の頼山陽(一七八〇—一八三二)が源平二氏から徳川氏に至る武家の興亡を漢文体で記述した歴史書。全二二巻。文政一〇年(一八二七)に成立。

(5) **郷党**　郷里。

(6) **敢為の気象**　物事を思い切っておこなう性質。

(7) **山気**　万一の幸運をねらって物事をしようとする心。

(8) **維新の戦争** 慶応四年(一八六八)戊辰の年に始まった討幕派と旧幕府軍との戦争。戊辰戦争。

(9) **田中鶴吉** 一八五五―?年。明治時代に東洋のロビンソン・クルーソーと称された漂流生活経験者。

(10) **小笠原拓殖事業** 明治八年(一八七五)から九年にかけて日本の領有が確定した小笠原諸島の開拓事業。田中鶴吉は明治一四年に渡航して数年間、牧畜などをおこなったが、念願の製塩事業ができずに帰京した。

(11) **布哇** ハワイ諸島。明治年間を通して盛んに日本から移民が送り込まれた。一八九八年、アメリカ合衆国に併合。

(12) **南米** 当時、日本からの移民先は主にペルーだった。

(13) **間** 「運命論者」注(3)を参照。

(14) **トンビ** 袖が無くケープのついた、丈の長い毛織物製の外套。二重回し。

(15) **ワット** ジェームズ・ワット(James Watt, 1736-1819)。イギリスの技師。実用的な蒸気機関を開発し、その後の世界的な産業革命に寄与した。

(16) **ステブンソン** ジョージ・スチーブンソン(George Stephenson, 1781-1848)。イギリスの鉄道技師。実用的な蒸気機関車を製作し、多くの鉄道事業の発展に貢献した。

(17) **エジソン** トーマス・エジソン(Thomas Alva Edison, 1847-1931)。アメリカの発明家。蓄音機、白熱電球など多くの発明、改良を行った。

(18) **真書太閤記** 江戸末期、栗原柳庵(一七九四―一八七〇)によってまとめられた豊臣秀吉一代記。三六〇巻。講談をもとにした通俗的な実録風読物。

(19) **築地**　東京京橋区(現、中央区)の地名。広く隅田川河口部の西岸一帯。明治元年(一八六八)から三二年まで外国人居留地があり、当時は水路が張りめぐらされていた。

(20) **山の神**　夫から見て、実権を握られていて頭の上がらない妻に対する婉曲表現。ここでは、第三者が「おかみさん」の意で用いた呼称。

(21) **ハイカラ**　たけの高い襟を意味する high collar(英)からできた和製語。西洋風で目新しいこと。

(22) **皇天**　天にあって万物をつかさどる神。上帝。

(23) **砂書き**　白砂や五色の砂を手に握って地面または板の上に少しずつこぼして、絵や文字などをかき、見物料をもらう大道芸。

(24) **九段の公園**　麹町区(現、千代田区)九段坂上の靖国神社境内。当時は、春秋の例大祭と毎月六日の小祭があり、縁日や見世物などで賑わった。

(25) **木賃宿**　煮炊きなどのための薪代を払って素泊まりをする安宿。

(26) **工手学校**　築地居留地の南対岸、京橋区南小田原町(現、中央区築地七丁目)にあった土木や電気などの技術者を養成する私立学校。現在の工学院大学の前身。

(27) **丁**　「馬上の友」注(9)を参照。

(28) **符牒**　仲間内だけに通じる合言葉。

(29) **煮〆**　濃いめの味で、野菜・肉・こんにゃくなどをじっくり煮上げたもの。

(30) **錦絵**　多色刷りにした浮世絵の木版画。
(31) **欣々然**　いかにも喜ばしそうなさま。
(32) **新橋**　明治時代、西日本からの東京の玄関口の役割を果たした東海道線の始発終着駅。芝区汐留町一丁目(現、港区東新橋一丁目)にあった。
(33) **手に合わない**　手に負えない。
(34) **学僕**　師の家、または塾、学校などで雑用に従事しながら勉学に励む人。
(35) **芝区**　現在の港区南東部。
(36) **野毛町**　東海道線の初代横浜駅(現、桜木町駅)至近の町名。
(37) **無人の地**　ここでは、自分一人だけの境地、の意。

日の出

(1) **芝山内の紅葉館**　東京芝区(現、港区)の芝公園内にあった有名な料亭。
(2) **京橋区弥左衛門町**　当時、有楽町と銀座の間の濠に架かっていた数寄屋橋至近、銀座側にあった京橋区(現、中央区)の町名。現在の銀座四丁目。
(3) **同好倶楽部**　明治二〇年前後から全国各地に「〇〇倶楽部」との名をもつ社交機関ができて繁盛した。
(4) **オックスホード大学**　Oxford University。一二世紀創立のイギリス最古の大学。
(5) **ハーバード大学**　Harvard University。一七世紀創立のアメリカ最古の大学。

（6）**シガー**　「馬上の友」注（8）を参照。
（7）**勁烈**　強くはげしいこと。
（8）**高等商業**　神田区一橋通町（現、千代田区一ッ橋）にあった高等商業学校。明治八年（一八七五）設立の商法講習所を源流とし、同三五年、東京高等商業学校に改称。現在の一橋大学の前身。
（9）**三田**　安政五年（一八五八）、福沢諭吉が開いた洋学塾を起源とする慶應義塾。明治四年（一八七一）に芝区（現、港区）三田に移転。同二三年に大学部を開設。
（10）**早稲田**　明治一五年（一八八二）、大隈重信によって創立された東京専門学校。同三五年、早稲田大学と改称。
（11）**帝国大学**　安政三年（一八五六）設立の蕃書調所と同五年設立の種痘所などを統合して明治一〇年（一八七七）に東京大学が創立、同一九年に帝国大学、同三〇年に東京帝国大学へと改称。同年に京都、のち東北、九州などに順次帝国大学が設立されるが、ここでは東京帝国大学を指している。
（12）**郵船会社**　日本郵船会社。明治一八年（一八八五）郵便汽船三菱会社と共同運輸会社が合併して成立した海運企業。同二六年に株式会社となる。
（13）**地方裁判所**　「運命論者」注（8）を参照。
（14）**丁**　「馬上の友」注（9）を参照。
（15）**石**　「馬上の友」注（18）を参照。
（16）**町**　「馬上の友」注（9）を参照。

(17) **東雲** 夜明け。
(18) **紫嵐** 紫色に映える山の空気。
(19) **屠蘇** 元日に祝儀として飲む薬酒。各種の生薬を配合した屠蘇散を清酒、あるいは、みりんに浸して作る。
(20) **碌々** 平凡で役に立たないさま。
(21) **沖天の勢** 天高くのぼるほどの盛んな勢い。
(22) **練壁** 粘土に石灰、小砂利などを混ぜ合わせた練り土でぬり固めた壁。
(23) **葛蔓** 長く伸びて他の物に巻きついたりよじ登ったりするつる草の総称。一般には、葛と蔓、それぞれ一字で「かずら」と読む。
(24) **畝** 「空知川の岸辺」注(21)を参照。
(25) **村学究** 田舎にいて見識の狭い学者。

解　説——純粋無垢の一行

宗像和重

一、短編作家としての独歩

すぐれた小説を読む喜びは、すぐれた一行に出会う喜びだと思う。かつて評論家の秋山駿は、志賀直哉『暗夜行路』後篇をめぐって、「賛嘆すべき一行」と出会った経験を語ったことがある。『暗夜行路』は長編小説だが、短編小説であればなおさら、一行の善し悪しが作品の評価を大きく左右するだろう。国木田独歩の小説も「賛嘆すべき一行」の宝庫で、私はそれをひそかに「純粋無垢の一行」と呼んでいる。

話が前後したが、本書は、国木田独歩の短編集『運命』を、初版に準じて収録したものである。「武蔵野」や「源おぢ」「忘れえぬ人々」などを収録した第一短編集『武蔵野』(明治三十四年三月、民友社)、「牛肉と馬鈴薯」「春の鳥」などを収録した第二短編集

『独歩集』（明治三十八年七月、近事画報社）に続く第三短編集で、巻頭の「運命論者」以下九編を収録し、明治三十九年（一九〇六）三月に左久良書房から刊行された。このとき独歩は数え年三十六歳、二年後の明治四十一年（一九〇八）六月に肺結核で早世する独歩にとって、晩年の作品集であり、また文壇的地位を確立した作品集にほかならない。

ここであらためて振り返れば、国木田独歩（本名哲夫）は、明治四年（一八七一）に千葉県銚子で生まれたから、二〇二一年に生誕百五十年を迎えたことになる。父専八の裁判所勤務に従い、主に山口県で少年期を過ごしたのち、上京して東京専門学校（現・早稲田大学）に学び、在学中に植村正久より洗礼をうけた。随想「我は如何にして小説家となりしか」によれば、「全体自分は、功名心が猛烈な少年で在りまして、少年の時は賢相名将（けんしょうめいしょう）とも成り、名を千歳（せんざい）に残すといふのが一心」であったが、「自分の精神上に一大革命が起りました、即（すな）はち、人性の問題に触着（ぶつかっ）たので有ります」という。そして、東京専門学校退学後、大分県佐伯での教師生活などを経て、明治二十七年（一八九四）に徳富蘇峰の国民新聞社に入社、折からの日清戦争に従軍記者として赴き、のちに「愛弟通信（あいていつうしん）」として知られる生彩に富んだ従軍記事で注目を浴びた。それが機縁となって佐々城信子を知り、恋愛・結婚・破局へと至るきわめて深刻な、しかしどこか一人芝居にも似たドラマを演ずることになる。その経緯については、没後に『欺かざるの記』として出版された手記に詳しい。

その後、田山花袋や松岡(柳田)国男らを知り、明治三十年(一八九七)四月には、「独歩吟」二十二編を含む合著詩集『抒情詩』を民友社から刊行、とくに「山林に自由存す／われ此句を吟じて血のわくを覚ゆ／嗚呼山林に自由存す／いかなればわれ山林をみすてし」と詠じ出される「山林に自由存す」は、都塵にあって山林への憧憬を謳い、人口に膾炙した。同年八月に最初の小説「源叔父」(のち短編集『武蔵野』収録の際に「源おぢ」と改題)を発表し、小説の制作に従事するとともに、報知新聞社・民声新報社・近事画報社などの編集者としても手腕を発揮。のちには解散した近事画報社の事業を引き継ぎ、独歩社を起こしてその経営に従事したが、ほどなくして破産するなどの変転を経験した。この『運命』の後にも、第四短編集『濤声』(明治四十年五月、彩雲閣)があり、また没後に刊行された『独歩集第二』(明治四十一年七月、彩雲閣)がある。

こうした短編集の刊行が物語るように、独歩は近代日本の代表的な、――というよりもむしろ、最初の短編作家であるといって過言ではない。ここで短編作家というのは、ただ短編小説を書いた、ということを意味するものではない。それだけなら、独歩以前にも森鷗外は「舞姫」を書き、樋口一葉は「十三夜」を書き、泉鏡花は「外科室」を書いている。しかし、鷗外に「青年」があり、一葉に「たけくらべ」があり、鏡花に「婦系図」があるように、一般には複雑多岐な人生の諸相を描き尽くす長編小説にこそ、その作家の本領があると看做されている。その事情は、自然主義の田山花袋や島崎藤村ら、独歩と同時代および以後の時代の作家においても変わらない。そのなかにあって、みずから「余は今日まで所謂る短編小説のみを書き来たりし者なるが」(「予が作品と事実」)と語っているように、独歩だけは生涯にわたって短編小説という形式に強い愛着と熱意を持ちつづけた。

もとより、短編小説の短編小説たる所以は、ただ字数の少なさだけにあるのではない。森鷗外は「現代諸家の小説論を読む」(明治二十二年)のなかで、「複稗」(長編小説・ロマンス)と「単稗」(短編小説・ノベル)という言い方をしているが、諸事が輻輳する現代にあって、「一小説家の能く視て能く写す所は、電光一閃の照す所のみ」であり、「是を以て其作為する所は単稗に宜くして複稗に宜からず」と、近代における「単稗」の優位と盛行について語っている。鷗外の場合には、「我邦にも或は又能く複稗の源氏物語、八犬伝の如きものを作るもの出でゝ、現世紀に於ける社会の大現象を指すこと」への期待が込められているが、そのような社会の大現象にもまして、平凡な名もなき庶民(独歩は「小民」という言葉を使っている)と目されている一人一人の人生を照らしだす一閃の電光、――すなわち「運命」の閃きこそが独歩の最大の関心事であった。そして、その「運命」に翻弄され、あるいは克服しようとする人間の、それぞれに異なりつつどこか重なり合う姿を、独歩は飽くことなく描き続けた。そこに、独歩が短編作家である所以があり、独歩の短編小説の魅力があると思う。

ところで、こうした短編小説は、この『運命』がそうであるように、おおむね、雑誌や新聞に発表されたのち、作品集(短編集)として刊行され、一般の読者に読まれることになる。当然そこには、どの作品を収録し(あるいは除外し)、どれを巻頭作とし、どのように構成配列するか、そして全体に冠する書名を選び、装幀・意匠などを含めて一冊の書物として仕立てていく営みがある。『運命』は四六判三〇七ページ。友人の画家小杉未醒が表紙画を描いているが、人生の岐路に運命の女神が手を差し伸べているような図柄だろうか、その足元には髑髏も描かれている。また、「運命論者」の高橋信造を描いた満谷国四郎の口絵もある。もとより読者は、そこに込められた作者の意図やねらいにのみ斟酌(しんしゃく)する必要はないけれども、それ自体がさまざまな人生の縮図であるような作品集を、刊行当時のまとまった形で、いいかえれば当時の読者が手にとった形で、読むという経験は、一つ一つの作品を独立して読み味わうだけではない興趣と発見を与えてくれるのではないだろうか。

二、『運命』をめぐって

ここで、独歩の第三短編集『運命』の収録作と初出を、配列の順番に即して掲げておきたい。

「運命論者」(『山比古』第十号、明治三十六年三月)
「巡査」(『小柴舟』第二編、明治三十五年二月)
「酒中日記」(『文藝界』第十号、明治三十五年十二月)
「馬上の友」(『青年界』第二巻第六号、明治三十六年五月)
「悪魔」(『文藝界』第十七号、明治三十六年五月)
「画の悲み」(『青年界』第一巻第二号、明治三十五年八月)
「空知川の岸辺」(『青年界』第一巻第六—七号、明治三十五年十一—十二月)
「非凡なる凡人」(『中学世界』第六巻第三号、明治三十六年三月)
「日の出」(『教育界』第二巻第三号、明治三十六年一月)

見るように、いずれも明治三十五年(一九〇二)・三十六年(一九〇三)に発表された作品が集められている。この両年は、生活上の困窮に引き換えて、独歩の創作意欲が最も盛んだった時期で、第二短編集『独歩集』も多くはこの時期の作品が収録されている。ただ、この時点においてはまだ、『独歩集』の序文に「予の作物は今日までの経過に依れば、人気なる者なし」と吐露するような状況であったことも、注意されていい。そして、『運命』の刊行が明治三十九年(一九〇六)三月だから、作品の発表と作品集の刊行との間には、若干の時間の隔たりがあるが、その間に横たわっているのが、明治三十七年(一九〇四)から翌年にかけての日露戦争であることは、いうまでもない。

この、日露戦争を間に挟んだ明治三十年代半ばから後半にかけての時期が、日本の近代文学の大きな転機であったことは、よく知られている。『日本近代短篇小説選　明治篇2』(岩波文庫)の解説にも記したことだが、趣向を凝らした筋立てと洗練された文体で人気を博した尾崎紅葉の病没(明治三十六年)と前後して、小杉天外は『はやり唄』(明治三十五年)序文において、フランスのエミール・ゾラの描法に倣ういわゆるゾライズムを宣言。田山花袋も「露骨なる描写」(明治三十七年)において、「何事も露骨でなければならん、何事も真相でなければならん、何事も自然でなければならん」という「十九世紀革新以後の泰西の文学」に新たな可能性を求めていった。自然科学の時代を背景として、遺伝と環境に支配される人間を、医者が患者の病巣にメスを入れるように、緻密に観察し分析しようとするヨーロッパ自然主義文学の移入である。

「キヤラクターは遺伝なり。故に悲惨は遺伝より来るてふゾラの説は真理なるが如し」（『欺かざるの記』明治二十九年九月十五日）と語る独歩もまた、早くからゾラの自然主義に関心を寄せていた一人である。しかし一方で、「僕には自然主義に関する智識がない」「決して自然主義は僕の主義であるとも無いとも言はない。独歩は独歩である」（「余と自然主義」）とも語っていたように、独歩自身は必ずしも自然主義の旗幟(きし)を鮮明に掲げていたわけではない。むしろ、「あらゆる虚偽を脱離して、直ちに真其物の本体を捉へ、其真を真として描きたるもの、是れ余の作品なり」（「病牀録」）と自負しつつ、「独歩は独歩である」ことを貫いてきたそれまでの創作の営為が、『独歩集』や『運命』の刊行によって、自然主義文学の先蹤(せんしょう)としてあらたに「発見」されたというべきであろう。すなわち、日露戦争後の明治三十九年（一九〇六）、この年復刊されて新文学勃興に大きな役割を果たすことになる雑誌『早稲田文学』は、十月号の彙報欄において「小説壇の新気運」を次のように報じている。

　小説壇の新気運は本年の春に入ッて、稍発動し初めた観がある。（中略）今年に入ッて以来、頗る注目すべき新現象を呈して、春の若葉の充ち薫る如くに、斯壇は一味の清新の気を着けたる感があッた。即ち、三月の下旬には、島崎藤村氏の『破戒』、国木田独歩氏の『運命』、五月の中旬には夏目漱石氏の『漾虚集』が世に現はれた。

ここに、独歩の『運命』とともに、同年同月に刊行された藤村の『破戒』、そして漱石の『漾虚集（ようきょしゅう）』の名前が挙げられている。『漾虚集』は、前年からの「吾輩は猫である」と平行して書かれた「倫敦塔（ろんどんとう）」などの作品を集めた短編集だが、彙報欄ではこれに続いて、三作の紹介と論評に多くの頁を費やしており、これらの登場が大きな「事件」として受けとめられていたことがうかがえる。また「烟霞生」名義の「「運命」と「破戒」」（『中央公論』明治三十九年六月）では、「今の処島崎藤村氏著破戒並に国木田独歩氏著運命の二篇は丙午文壇の最も傑出したる作物であると思ふ」として、両作の推奨に力を注いでいる。独歩の『運命』は、当時、なぜそのように受け入れられたのだろうか。

もとより、日露戦争の勝利は、日本が「一等国」の仲間入りをしたという強い自信とともに、資本主義経済のさらなる発展をもたらした。しかしその一方で、独歩が「号外」（『新古文林』明治三十九年八月）において描いたのは、「戦争（いくさ）が無いと生きて居る張合がない、あゝツマラ無い」という加藤男爵の姿であった。戦時中は飛び交う号外に熱狂する人々で溢れていた往来も、「今では亦た以前の赤の他人同志の往来になつて了つた」のである。そうした、高揚感や一体感の喪失に伴う日露戦後の社会の分断に拍車をかけたのが、金が金を産み、あるいは簒奪し、資本が資本を食いつぶす酷薄な競争と格差の社会の到来であったことは、いうまでもない。

そうした社会のなかで、大志をいだきながら現実には無為に生きざるをえない青年像を描いたのが、日露戦後の漱石や自然主義の作家たちだが、それはすでに明治三十年代の半ばから、国木田独歩が凝視し続けてきたものにほかならなかった。先述したように、その発見の驚きこそが、『運命』の評価をきわめて高いものにしたので、この作品集をとりあげた長谷川天渓は、雑誌『太陽』の「文芸時評」(明治三十九年六月)のなかで、「『運命』は国木田独歩子の短篇小説集なり。就中出色の作は『酒中日記』なり。『悪魔』『運命論者』等は、骨の折れし程に面白からず。『非凡の凡人』(ママ)これ小説としては、余りに単純なれど、独歩子独得の観察を表はして趣味最も多し。『日の出』亦然り」と読後感を述べながら、次のように評している。

此の小説集中、一特色とすべきは、著者が此の社会より追ひ出されし人物、即ち社会の一員として住み能はざる程の人物を捕へたること是れなり。世の荒波に負けたる人物、例へば『酒中日記』の主人公の如き、これ独歩子の最も得意とする所、読みて感興の大なるを覚ゆ。また全体に通じて観察の深刻なると、読者に想像の余裕を与ふる書き方、即ち余韻ある筆法とは、よく彰れて異彩を放つ。

長谷川天渓は「世の荒波に負けたる人物」と述べているが、ここにあるのは、華やかな花柳界や才子佳人の恋愛模様とはまったく無縁の人物像であった。同じ頃、夏目漱石は門下生の森田草平に宛てて『破戒』の読後感を記し、「夫から気に入つたのは事柄が真面目で、人生と云ふものに触れて居ていたづらな脂粉の気がない。単に通人や遊蕩児や所謂文士がかき下すものと大に趣を異にして居るからです」と記しているが（明治三十九年四月一日付書簡）、日露戦後の文壇が渇望していたのは、まさしく「事柄が真面目で、人生と云ふものに触れて」いる作品であったといってよい。今や文学は娯楽の器ではなく人生探求の器であることを、同時代の読者は『運命』のなかに見出したのである。

と同時に、内容の真面目さ、深刻さとあいまって、長谷川天渓は「余韻ある筆法」と述べているが、無造作とも粗雑とも評されることのあったその文体にも関心が寄せられている。日本の小説の文体は、日露戦後から、「吾輩は猫である。」（『吾輩は猫である』）、

「蓮華寺では下宿を兼ねた。」(『破戒』)などの達意な口語文体を獲得していくことになるが、尾崎紅葉流の美文意識をもってすれば、技巧の未熟を難じられて然るべき簡朴な口語文体の実践は、明治三十年代前半から独歩によって果敢に試みられていたものであった。独歩によれば、文章の要訣は「言葉を短くせよ、言葉を簡略にせよ、言葉を平易にせよ」(「病牀録」)というに尽きるのであり、それが、従来の美文意識を払拭した独歩の文体の特色と魅力として、読者の目に映じているのである。

三、作品に即して

ところで、独歩没後の「故独歩の作物に就て」(『新潮 国木田独歩号』明治四十一年七月)において、「私は独歩の作は余程早くから好きで読んだ」という小山内薫は、「彼の作物は凡そ左の五種に分ける事が出来る」として、主な作品を次のように分類している。

(一) 自然を書いたもの。
『武蔵野』『小春』等。
(二) 恋愛及び夫婦問題を書いたもの。

『わかれ』『帰去来』『牛肉と馬鈴薯』『第三者』『湯ケ原より』『夫婦』『鎌倉夫人』『恋を恋する人』等。

(三) 宗教問題及び運命を解いたもの。

『女難』『牛肉と馬鈴薯』『正直者』『運命論者』『酒中日記』『悪魔』『帽子』等。

(四) 少年時代の追想。

『少年の悲哀』『春の鳥』『馬上の友』『画の悲しみ(ママ)』『日の出』等。

(五) キヤラクタア、スケツチとも云ふべきもの。

『源おぢ』『忘れ得ぬ人々』『巡査』『富岡先生』『非凡なる凡人』『号外』等。

小山内薫自身が「素より此分類の何れにも当てはまらぬ作はある」というように、一応の目安に留まるが、『運命』所収でここに名前のあがっていない「空知川の岸辺」をも仮にあてはめれば、(一)自然を書いたもの、ということになるだろうか。自身の体験に基づいたこの小説について、独歩は「あれにしたところで、私は自然を精細に描写しては無い、たゞ自然の感じた、真に心のそこへ自然が沁み渡つた中心点より外書いてない」(「自然を写す文章」)と述べている。作中にも、「余は暫くジッとして林の奥の暗くなって居る処を見て居た」という一節があるが、つまり、ここで「余」が見ているのは、自然そのものであるよりも、「余」自身の「真に心のそこへ自然が沁み渡つた中心点」にほかならない。「風景」が孤独で内面的な状態と緊密に結びついていることは、柄谷行人著『日本近代文学の起源』(昭和五十五年、講談社)が独歩に即して論じているところだが、「自ら求めて社会の外を歩みながらも、中心実に孤独の感に堪えなかった」という「余」の存在こそが、「空知川の岸辺」には不可欠なのである。

おそらくそのことは、右の「故独歩の作物に就て」において、小山内薫が独歩を「第一人称小説の開祖」と語っていることと無関係ではない。もとよりこれは、独歩が最初に一人称小説を書いたという意味ではなく、独歩の小説が一人称の語り手と密接不可分に結びついていることを指しているが、小山内薫は続けて、「彼の作には早くから第一人称の説話があつた。『運命論者』『女難』『正直者』等は殊にその傑れたものだ」と述べている。たしかに、『運命』所収の作品の大半も、「自分」や「余」による一人称の説話と呼ぶべきもので、しかもこの「自分」や「余」は、多分に独歩自身の面影を宿している。

独歩は、『運命』所収の作品について、さまざまな機会にその事実関係やモデルについて言及している。その一つ一つに触れることはできないが、たとえば「巡査」は、独歩が西園寺公望の家に寄食していた明治三十四年(一九〇一)当時、総理大臣代理であった西園寺の護衛巡査の一人で、昵懇になった高野氏を写生したものという。また、「運命論者」における高橋信造の出生の問題と独歩自身の出生の問題との関わりや、「空知川の岸辺」の背景としての独歩と佐々城信子との結婚問題などが、これまでも取り上げられてきた。「運命論者」や「悪魔」に垣間見られる女性観も、独歩自身のそれと重なるところがあることも指摘されているが、これらの作品が、有為転変を重ねてきた自らの、得意も辛酸も味わってきた生涯を背景として、その折々に見聞した人物やエピソードを下敷きにしていることは疑えない。そのなかで培われてきた独歩の運命観を端的にあらわす言葉として、晩年の「病牀録」の次の一節などがよく知られている。

　余は半面に於て運命論者なり。而して他の半面に於て又事実論者なり。吾人の日常遭遇する総ての出来事を以て、直に単純なる事実とのみに解釈し了る事能はず。事実以上、吾人の力を以て予測し難き運命の存する事を認む。

　人は常に、「成るやうにしか成らず、」と云へる一種諦めの語を口にす。之れ或点以上は吾人の力を以て抗する事能はざる運命の力を認めたるなり。或点まで人は運命を作る事を得れど、それ以上運命の力に抗する事能はざるものなり。

作品集『運命』を、あえてこの言葉に引き寄せるならば、「或点まで人は運命を作る事を得れど、それ以上運命の力に抗する事能はざるものなり」という言葉の軸線上に、おおむね暗から明へのグラデーションを描くように諸作品を配置した作品集だと言えるだろう。たしかに、遺伝や環境による不可避の悲劇として、巻頭の「運命論者」や「酒中日記」の深刻さと暗さは際立っているが、「病牀録」が右の引用に続いて、「或意味に於いて運命論者は不幸なれども、また幸福なることあり。人は、人力を以て運命の力に抗すべからざる事を知る時、其所に悟道を求め、安心を得、余の「運命論者」は全然空想に依りて、作られたる人物なるも、此運命に対する余の思想を具体化したるものなり」と述べていることにも目を向けたい。「運命論者」の「余」は高橋信造を「この不幸なる青年紳士」と呼び、「酒中日記」の「記者」は大河今蔵を「不幸なる男よ」と呼んでいるけれども、彼らの生涯の足跡が「不幸」とのみ呼ばれるべきものであるかどうかは、わからない。

一方において、『運命』の掉尾を飾る「非凡なる凡人」や「日の出」の明るさもまた、「運命論者」や「酒中日記」と対照的に際立っているように見える。しかし、「少なくとも『金色夜叉』の書かれた明治三十年代においては、「才」さえあれば立身出世は思いのままであるといった初期資本主義的な『学問のすゝめ』の思想は現実的な意味で失効を宣せられていた」（川村湊著『異様の領域』昭和五十八年、国文社）という評言が示唆するように、『西国立志編』を座右の書としてきた「非凡なる凡人」の桂正作も、大島小学校の経営に腐心する「日の出」の大島伸一も、学歴と資本との桎梏にからめとられて呻吟する存在であることに変わりはない。「運命」が重くのしかかっているという意味では、彼らも「運命論者」の高橋信造や「酒中日記」の大河今蔵と大きく距たるところはない。濃淡の差こそあれ、他の作品における登場人物もまた同様である。

そして、「運命」に翻弄され、あるいは克服しようとする彼らの、それぞれに異なりつつどこか重なり合う物語の中から、古代の英雄叙事詩のように曇りのない、驚くほど純粋で無垢な一行が立ち現れる。たとえば「酒中日記」の大河今蔵が洩らす「如何も人生は儚いものに違いない。理屈は抜にして真実の処は儚いものらしい」という言葉に、思わず私たちは胸を衝かれる。「非凡なる凡人」の「僕」が語る「であるから桂のような人物が一人殖えればそれだけ社会が幸福なのである」という言葉に、思わず私たちは深く頷く。「日の出」の大島仁蔵が諭す「人間というものは何時でもこの初日出の光を忘れさえ為なければ可いのじゃ」という言葉に、思わず私たちは襟を正される。これらは、一つ一つを取り出してみれば、平凡な感想であり市民道徳に過ぎないが、その類まれな美しさを、伊藤整は『日本文壇史10　新文学の群生期』（昭和五十三年、講談社）において、次のように語っている。

このような素朴で明確な一連の認識が国木田独歩の拙劣な作品のあちこちに、岩石の中に埋もれた宝石のように輝いていて、それを読むものは、その認識の美しさの故に、彼の拙ない素人じみた作品全体を愛さずにいられなくなった。

ここで、「拙劣な」とか「拙ない素人じみた」というのは、もちろん、最大の褒め言葉でなければならない。それは、独歩の小説が、それまでのように玄人の小説家の巧みな趣向によってではなく、独歩の愛用語によれば「無窮なる宇宙」のなかで一人の人間が一人の人間と出会った、その不思議、――その素朴な驚きと感激によって満たされているからである。「自分は全然この巡査が気に入って了った」(「巡査」)とか、「自分は思わず泣いた」(「画の悲み」)といった簡明きわまりない言葉で結ばれる小説は、そうそうあるものではない。「悪魔」の浅海謙輔は、『悪魔』と題する手記に「形容詞を止めよ、説教を止めよ」と記したが、独歩の生誕から百五十年を経た今日、過剰な「形容詞」と過激な「説教」の氾濫する時代に、岩石の中に埋もれた宝石のような独歩の純粋無垢の一行は、私たちの目にあまりにもまぶしい。

〔編集附記〕

一　本書は、『運命』(岩波文庫、一九五七年九月改版)を底本とし、単行本、初出誌を参照した。
一　原則として漢字は新字体に、仮名づかいは現代仮名づかいに改めた。ただし、文語文は歴史的仮名づかいとした。
一　漢字語のうち、使用頻度の高い語を一定の枠内で平仮名に改めた。平仮名を漢字に変えることは行わなかった。
一　漢字語に、適宜、振り仮名を付した。
一　本文中に、今日からすると不適切な表現があるが、原文の歴史性を考慮してそのままとした。

(岩波文庫編集部)

運　命

2022年1月14日　第1刷発行

作　者　国木田独歩

発行者　坂本政謙

発行所　株式会社 岩波書店
〒101-8002 東京都千代田区一ツ橋 2-5-5
案内 03-5210-4000　営業部 03-5210-4111
文庫編集部 03-5210-4051
https://www.iwanami.co.jp/

印刷・三秀舎　カバー・精興社　製本・中永製本

ISBN 978-4-00-310199-5　Printed in Japan

読書子に寄す

――岩波文庫発刊に際して――

岩波茂雄

真理は万人によって求められることを自ら欲し、芸術は万人によって愛されることを自ら望む。かつては民を愚昧ならしめるために学芸が最も狭き堂宇に閉鎖されたことがあった。今や知識と美とを特権階級の独占より奪い返すことはつねに進取的なる民衆の切実なる要求である。岩波文庫はこの要求に応じそれに励まされて生まれた。それは生命ある不朽の書を少数者の書斎と研究室とより解放して街頭にくまなく立たしめ民衆に伍せしめるであろう。近時大量生産予約出版の流行を見る。その広告宣伝の狂態はしばらくおくも、後代にのこすと誇称する全集がその編集に万全の用意をなしたるか。千古の典籍の翻訳企図に敬虔の態度を欠かざりしか。さらに分売を許さず読者を繫縛して数十冊を強うるがごとき、はたしてその揚言する学芸解放のゆえんなりや。吾人は天下の名士の声に和してこれを推挙するに躊躇するものである。このときにあたって、岩波書店は自己の責務のいよいよ重大なるを思い、従来の方針の徹底を期するため、すでに十数年以前より志して来た計画を慎重審議この際断然実行することにした。吾人は範をかのレクラム文庫にとり、古今東西にわたって文芸・哲学・社会科学・自然科学等種類のいかんを問わず、いやしくも万人の必読すべき真に古典的価値ある書をきわめて簡易なる形式において逐次刊行し、あらゆる人間に須要なる生活向上の資料、生活批判の原理を提供せんと欲する。この文庫は予約出版の方法を排したるがゆえに、読者は自己の欲する時に自己の欲する書物を各個に自由に選択することができる。携帯に便にして価格の低きを最主とするがゆえに、外観を顧みざるも内容に至っては厳選最も力を尽くし、従来の岩波出版物の特色をますます発揮せしめようとする。この計画たるや世間の一時の投機的なるものと異なり、永遠の事業として吾人は微力を傾倒し、あらゆる犠牲を忍んで今後永久に継続発展せしめ、もって文庫の使命を遺憾なく果たさしめることを期する。芸術を愛し知識を求むる士の自ら進んでこの挙に参加し、希望と忠言とを寄せられることは吾人の熱望するところである。その性質上経済的には最も困難多きこの事業にあえて当たらんとする吾人の志を諒として、その達成のため世の読書子とのうるわしき共同を期待する。

昭和二年七月

《日本文学(現代)》〔緑〕

怪談 牡丹燈籠	三遊亭円朝
真景累ヶ淵	三遊亭円朝
塩原多助一代記	三遊亭円朝
小説神髄	坪内逍遥
当世書生気質	坪内逍遥
青年	森鷗外
阿部一族 他二篇	森鷗外
山椒大夫・高瀬舟 他四篇	森鷗外
渋江抽斎	森鷗外
舞姫・うたかたの記 他三篇	森鷗外
鷗外随筆集	千葉俊二編
森鷗外 椋鳥通信 全三冊	池内紀編注
浮雲	二葉亭四迷 十川信介校注
野菊の墓 他四篇	伊藤左千夫
吾輩は猫である	夏目漱石
坊っちゃん	夏目漱石
草枕	夏目漱石
虞美人草	夏目漱石
三四郎	夏目漱石
それから	夏目漱石
門	夏目漱石
彼岸過迄	夏目漱石
漱石文芸論集	磯田光一編
行人	夏目漱石
こころ	夏目漱石
硝子戸の中	夏目漱石
道草	夏目漱石
明暗	夏目漱石
思い出す事など 他七篇	夏目漱石
文学評論 全二冊	夏目漱石
夢十夜 他二篇	夏目漱石
漱石文明論集	三好行雄編
倫敦塔・幻影の盾 他五篇	夏目漱石
漱石日記	平岡敏夫編
漱石書簡集	三好行雄編
漱石俳句集	坪内稔典編
漱石・子規往復書簡集	和田茂樹編
文学論 全二冊	夏目漱石
坑夫	夏目漱石
漱石紀行文集	藤井淑禎編
二百十日・野分	夏目漱石
五重塔	幸田露伴
運命 他一篇	幸田露伴
努力論	幸田露伴
天うつ浪 全二冊	幸田露伴
渋沢栄一伝	幸田露伴
子規句集	高浜虚子選
病牀六尺	正岡子規
子規歌集	土屋文明編
墨汁一滴	正岡子規

仰臥漫録　正岡子規
歌よみに与ふる書　正岡子規
子規紀行文集　復本一郎編
金色夜叉　全二冊　尾崎紅葉
二人比丘尼色懺悔　尾崎紅葉
不如帰　徳冨蘆花
謀叛論 他六篇 日記　徳冨健次郎　中野好夫編
武蔵野　国木田独歩
愛弟通信　国木田独歩
蒲団・一兵卒　田山花袋
田舎教師　田山花袋
藤村詩抄　島崎藤村自選
破戒　島崎藤村
春　島崎藤村
千曲川のスケッチ　島崎藤村
桜の実の熟する時　島崎藤村
新生　全二冊　島崎藤村

夜明け前　全四冊　島崎藤村
生ひ立ちの記 他一篇　島崎藤村
にごりえ・たけくらべ　樋口一葉
大つごもり・十三夜 他五篇　樋口一葉
修禅寺物語 正雪の二代目 他四篇　岡本綺堂
高野聖・眉かくしの霊　泉鏡花
歌行燈　泉鏡花
夜叉ケ池・天守物語　泉鏡花
草迷宮　泉鏡花
春昼・春昼後刻　泉鏡花
鏡花短篇集　川村二郎編
日本橋　泉鏡花
外科室・海城発電 他五篇　泉鏡花
湯島詣 他一篇　泉鏡花
鏡花随筆集　吉田昌志編
化鳥・三尺角 他六篇　泉鏡花
鏡花紀行文集　田中励儀編

俳句はかく解しかく味う　高浜虚子
回想 子規・漱石　高浜虚子
有明詩抄　蒲原有明
上田敏全訳詩集　山内義雄　矢野峰人編
宣言　有島武郎
一房の葡萄 他四篇　有島武郎
ホイットマン詩集 草の葉　有島武郎選訳
寺田寅彦随筆集　全五冊　小宮豊隆編
柿の種　寺田寅彦
与謝野晶子歌集　与謝野晶子自選
与謝野晶子評論集　鹿野政直　香内信子編
私の生い立ち　与謝野晶子
入江のほとり 他一篇　正宗白鳥
つゆのあとさき　永井荷風
濹東綺譚　永井荷風
荷風随筆集　全二冊　野口冨士男編
おかめ笹　永井荷風

摘録 断腸亭日乗 全二冊	永井荷風 磯田光一編
すみだ川・新橋夜話 他一篇	永井荷風
夢の女	永井荷風
あめりか物語	永井荷風
江戸芸術論	永井荷風
下谷叢話	永井荷風
ふらんす物語	永井荷風
浮沈・踊子 他三篇	永井荷風
花火・来訪者 他十一篇	永井荷風
問はずがたり・吾妻橋 他十六篇	永井荷風
斎藤茂吉歌集	山口茂吉 柴生田稔 佐藤佐太郎編
桑の実	鈴木三重吉
小鳥の巣	鈴木三重吉
千鳥 他四篇	鈴木三重吉
鈴木三重吉童話集	勝尾金弥編
小僧の神様 他十篇	志賀直哉
万暦赤絵 他二十二篇	志賀直哉
暗夜行路 全二冊	志賀直哉
志賀直哉随筆集	高橋英夫編
高村光太郎詩集	高村光太郎
北原白秋歌集	高野公彦編
北原白秋詩集 全二冊	安藤元雄編
フレップ・トリップ	北原白秋
野上弥生子随筆集	竹西寛子編
野上弥生子短篇集	加賀乙彦編
お目出たき人・世間知らず	武者小路実篤
友情	武者小路実篤
釈迦	武者小路実篤
銀の匙	中勘助
鳥の物語	中勘助
犬 他一篇	中勘助
若山牧水歌集	伊藤一彦編
新編 みなかみ紀行	若山牧水 池内紀編
新編 啄木歌集	久保田正文編
時代閉塞の現状・食うべき詩 他十篇	石川啄木
蓼喰う虫	谷崎潤一郎 小出楢重画
春琴抄・盲目物語	谷崎潤一郎
吉野葛・蘆刈	谷崎潤一郎
卍（まんじ）	谷崎潤一郎
幼少時代	谷崎潤一郎
谷崎潤一郎随筆集	篠田一士編
多情仏心 全二冊	里見弴
道元禅師の話	里見弴
今年竹 全二冊	里見弴
萩原朔太郎詩集	三好達治選
郷愁の詩人 与謝蕪村	萩原朔太郎
猫町 他十七篇	萩原朔太郎 清岡卓行編
恩讐の彼方に・忠直卿行状記 他八篇	菊池寛
菊池寛戯曲集 父帰る・藤十郎の恋	石割透編
河明り 老妓抄 他一篇	岡本かの子
春泥・花冷え	久保田万太郎

大寺学校　ゆく年　久保田万太郎
室生犀星詩集　室生犀星自選
犀星王朝小品集　室生犀星
出家とその弟子　倉田百三
羅生門・鼻・芋粥・偸盗　芥川竜之介
地獄変・邪宗門・好色・藪の中 他七篇　芥川竜之介
河童 他二篇　芥川竜之介
歯車 他二篇　芥川竜之介
蜘蛛の糸・杜子春・トロッコ 他十七篇　芥川竜之介
芭蕉雑記・西方の人 他七篇　芥川竜之介
侏儒の言葉・文芸的な、余りに文芸的な　芥川竜之介
芥川竜之介俳句集　加藤郁乎編
芥川竜之介随筆集　石割透編
蜜柑・尾生の信 他十八篇　芥川竜之介
年末の一日・浅草公園 他十七篇　芥川竜之介
芥川竜之介紀行文集　山田俊治編
都会の憂鬱　佐藤春夫

美しき町・西班牙犬の家 他六篇　佐藤春夫　池内紀編
海に生くる人々　葉山嘉樹
日輪・春は馬車に乗って 他八篇　横光利一
宮沢賢治詩集　谷川徹三編
童話集 風の又三郎 他十八篇　宮沢賢治　谷川徹三編
童話集 銀河鉄道の夜 他十四篇　宮沢賢治　谷川徹三編
山椒魚・遙拝隊長 他七篇　井伏鱒二
川釣り　井伏鱒二
井伏鱒二全詩集　井伏鱒二
太陽のない街　徳永直
伊豆の踊子・温泉宿 他四篇　川端康成
雪国　川端康成
山の音　川端康成
川端康成随筆集　川西政明編
三好達治詩集　大槻鉄男選　桑原武夫
詩を読む人のために　三好達治
夏目漱石 全二冊　小宮豊隆

社会百面相 全二冊　内田魯庵
新編 思い出す人々　紅野敏郎編　内田魯庵
檸檬（レモン）・冬の日 他九篇　梶井基次郎
蟹工船 一九二八・三・一五　小林多喜二
風立ちぬ・美しい村　堀辰雄
富嶽百景・走れメロス 他八篇　太宰治
斜陽 他一篇　太宰治
人間失格 グッド・バイ 他一篇　太宰治
津軽　太宰治
お伽草紙・新釈諸国噺　太宰治
真空地帯　野間宏
日本唱歌集　堀内敬三 井上武士編
日本童謡集　与田準一編
森鷗外　石川淳
至福千年　石川淳
近代日本人の発想の諸形式 他四篇　伊藤整
小説の認識　伊藤整

岩波文庫の最新刊

拾遺和歌集
小町谷照彦・倉田実校注

花山院の自撰とされる「三代集」の達成を示す勅撰集。歌合歌や屏風歌など、晴の歌が多く、洗練、優美平淡な詠風が定着している。
〔黄二八-二〕 定価一八四八円

ジンメル宗教論集
深澤英隆編訳

社会学者ジンメルの宗教論の初集成。宗教性を人間のアプリオリな属性の一つとみなすことで、そこに脈動する生そのものを捉えようと試みる。
〔青六四四-六〕 定価一二四三円

科学と仮説
ポアンカレ著/伊藤邦武訳

科学という営みの根源について省察し仮説の役割を哲学的に考察した、アンリ・ポアンカレの主著。一〇〇年にわたり読み継がれてきた名著の新訳。
〔青九〇二-一〕 定価一三二〇円

マンスフィールド・パーク(下)
ジェイン・オースティン作/新井潤美・宮丸裕二訳

皆が賛成する結婚話を頑なに拒むファニー。しばらく里帰りするが、そこに驚愕の報せが届き――。本作に登場する戯曲『恋人たちの誓い』も収録。(全二冊)
〔赤二二二-八〕 定価一二五四円

共同体の基礎理論 他六篇
大塚久雄著/小野塚知二編

共同体はいかに成立し、そして解体したのか。土地の占取に注目して、前近代社会の理論的な見取り図を描いた著者の代表作の一つ。関連論考を併せて収録。
〔白一五二-二〕 定価一一七七円

……今月の重版再開……

守銭奴
モリエール作/鈴木力衛訳
定価六六〇円
〔赤五一二-七〕

天才の心理学
E・クレッチュマー著/内村祐之訳
定価一一一一円
〔青六五八-一〕

定価は消費税10%込です　2021.12

岩波文庫の最新刊

グレゴリー・ベイトソン著／佐藤良明訳
精神と自然
―生きた世界の認識論―

私たちこの世の生き物すべてを、片やアメーバへ、片や統合失調症患者へ結びつけるパターンとは？　進化も学習も包み込み、世界の統一を恢復するマインドの科学。〔青N六〇四-一〕　定価一二四三円

荒井献・大貫隆・小林稔・筒井賢治編訳
新約聖書外典
ナグ・ハマディ文書抄

グノーシスと呼ばれた人々の宇宙観、宗教思想を伝えるナグ・ハマディ文書。千数百年の時を超えて復元された聖文書を精選する。〔青八二五-一〕　定価一五一八円

国木田独歩作
運命

詩情と求道心を併せ持った作家・国木田独歩（一八七一―一九〇八）の代表的短篇集。「運命論者」「非凡なる凡人」等、九作品収録。改版。（解説＝宗像和重）〔緑一九-三〕　定価七七〇円

今月の重版再開

モリエール作／鈴木力衛訳
いやいやながら医者にされ
定価五〇六円〔赤五一二-五〕

正岡子規著
獺祭書屋俳話・芭蕉雑談
定価八一四円〔緑一三-一一〕